将改革进行到底

本书编写组

人民出版社
学习出版社

责任编辑：马长虹　刘敬文
封面设计：周方亚
版式设计：王欢欢
责任校对：吕　飞

图书在版编目（CIP）数据

将改革进行到底 / 本书编写组 编．—北京：人民出版社，学习出版社，
　2017.10
ISBN 978－7－01－018495－1

Ⅰ.①将… Ⅱ.①将… Ⅲ.①改革开放－成就－中国 Ⅳ.① D61

中国版本图书馆 CIP 数据核字（2017）第 263271 号

将改革进行到底
JIANG GAIGE JINXING DAODI

本书编写组　编

人民出版社
学习出版社　出版发行

（100706　北京市东城区隆福寺街 99 号）

北京中科印刷有限公司印刷　新华书店经销

2017 年 10 月第 1 版　2017 年 10 月北京第 1 次印刷
开本：710 毫米 × 1000 毫米 1/16　印张：14
字数：137 千字

ISBN 978－7－01－018495－1　定价：35.00 元

邮购地址 100706　北京市东城区隆福寺街 99 号
人民东方图书销售中心　电话（010）65250042　65289539

版权所有·侵权必究
凡购买本社图书，如有印制质量问题，我社负责调换。
服务电话：（010）65250042

目 录

第一集　时代之问 ………… 001

第二集　引领经济发展新常态 ………… 023

第三集　人民民主新境界 ………… 047

第四集　维护社会公平正义 ………… 069

第五集　延续中华文脉 ………… 091

第六集　守住绿水青山 ………… 111

第七集　强军之路（上） ………… 135

第八集　强军之路（下） ………… 153

第九集　党的自我革新 ………… 171

第十集　人民的获得感 ………… 195

本书视频索引 ………… 219

第一集 时代之问

第一集《时代之问》完整视频

中国，五千年灿烂文明孕育、滋养的国度。

翻读她厚重的历史，似乎每一页，都在求索与抗争、奋斗与崛起的交织辉映中坚韧前行，磅礴不息。

有人曾盛赞：凝视中国，如同欣赏一幅精心创作的画卷，无论局部还是整体，总有着升腾不屈的气势。

30多年来，改革开放，使中国迅速成长跃升为世界第二大经济体，综合国力显著提高，人民生活极大改善，中国特色社会主义充满生机与活力。

然而，粗放的发展方式，也伴生着巨大的风险与挑战，积累了一系列深层次的问题和矛盾：经济结构不合理，区域、城乡发展失衡；7000万人口渴望脱贫，老龄化社会已经到来；部分行业产能过剩，资源环境的承载已近极限。

新的历史时期，中国，不仅要破解当下难题，更要着眼长远，不断促进社会公平正义、增进人民福祉，不断推动中国特色社会主义制度的完善和发展，努力实现一个现代化国家的长治久安。

放眼世界，国际金融危机影响仍未消散，经济增长持续乏力，全球治理困局凸显。地区冲突、恐怖主义、极端主义甚嚣尘上……

世界，面临百年不遇的大变局。

中国，该如何走向未来？中国，怎么办？

这，是历史之问，是人民之问，也是——时代之问！

中国的伟大变革，总是在直面问题中展开波澜壮阔的画卷。而历史，透过一个个重要时刻，为其标注下鲜明的印记。

2012年11月15日，中国共产党第十八次全国代表大会胜利闭幕的第二天，人民大会堂东大厅，再次锁定全世界的目光。

习近平总书记：

我们的责任，就是要团结带领全党、全国各族人民，接过历史的接力棒，继续为实现中华民族伟大复兴而努力奋斗。这个重大的责任，就是对人民的责任。人民对美好生活的向往，就是我们的奋斗目标。

这，是新一届中央最高领导层的首次公开集体亮相。这，是一份满载承诺的政治宣言。殷殷话语背后，一个惊艳世界的"中国故事"，正悄然萌动，徐徐开启……

2012年11月29日上午，几辆中巴车缓缓驶入巍峨矗立的国家博物馆。习近平总书记率领新一届中央政治局常委集体参观"复兴之路"展览，首次正式提出了"中国梦"。

习近平总书记：

何为中国梦？我以为，实现中华民族的伟大复兴，就是中华民族近代最伟大的中国梦。因为这个梦想，它凝聚和寄托了几代中国人的夙愿，它体现了中华民族和中国人民的整体利益，它是每一个中华儿女的一种共同的期盼。

饱含深情的梦想诠释，点燃了中华儿女的澎湃激情，汇聚起万众同心的磅礴力量。有海外媒体称，习近平定义的"中国梦"，重新唤醒一个国家的梦想能力，让整个民族找到了未来感。

2012年12月8日，就任中共中央总书记二十多天的习近平，在温暖的深圳，开启了他履新后的第一次国内调研。

习近平总书记：

邓小平同志不愧为是中国改革开放的总设计师，不愧为是我们中国特色社会主义道路的开创者。现在我们也看到了，党中央做出的改革开放的决定是正确的，我们今后仍然要走这条正确的道路。富国之路、富民之路，要坚定不移地走下去，而且要有新开拓，要上新水平。

75岁的陈开枝，1992年曾以广东省委副秘书长的身份陪同邓小平同志南方视察。整整20年后，他再次见证了一个特殊的历史时刻。

陈开枝：

一上来先跟群众握手，握完手来这里站好，过去给小平同志敬献花篮。敬完花篮以后，就在这里看深圳的变化发展，也跟我们做了交谈，也了解了当年小平南巡的基本情况。这个时候我们就沿着这里走过去，种一棵树，也是小平同志当年种的高山榕。

时隔20年，历史经典瞬间的重现，看似巧合，却意味深长。

离开深圳，习近平总书记又赶赴珠海、佛山和广州。这，也正是1992年邓小平南方视察时所走过的路线。

调研路上，习近平总书记反复强调，改革开放是决定当代中国命运的关键一招，也是决定实现"两个一百年"奋斗目标、实现中华民族伟大复兴的关键一招。

从广东返回北京20天后，十八届中央政治局第二次集体学习的主题，就聚焦"改革"。

习近平总书记在这次学习中明确指出，改革开放是一项长期的、艰巨的、繁重的事业，必须一代又一代人接力干下去，"改革开放只有进行时，没有完成时"。我们的改革，是不断推进社会主义制度的自我完善和发展，而不是对社会主义制度改弦易张。在中国"往哪儿改"的问题上，不能有丝毫含糊。

习近平总书记：

没有改革开放就没有中国的今天，也就没有中国的明天。改革开放是一场深刻革命，必须坚持正确方向，沿着正确道路推进。方向决定道路，道路决定命运。

这是一位大国领袖远见卓识的清醒判断，更是关乎国家命运的伟大抉择。

影响历史的重大思考与行动，往往源于经年累月沉淀的精华。

在河北正定工作期间，习近平就曾提出，要"做改革的拥护者，做改革的实践者，做改革的清醒者，做改革的保护者"。这是一位扎根基层泥土的县委书记对于改革的深刻感悟。

这之后，他在厦门这一改革开放的前沿城市经受历练；在宁德开创党政干部"四下基层"新模式；在福州倡导服务型、高效能政府；主政福建，他成功推动"晋江模式"和"闽台合作"。

在浙江工作期间，习近平于《之江新语》一书中写到，改革开放走过的道路，就是一条在不断克服困难中前进的改革创新之路，就是一段"发展出题目，改革做文章"的历程。

在上海工作期间，习近平以"开明睿智，大气谦和"八个大字拓展"城市精神"，让上海奋力站在改革潮头。

而就任总书记后，他将地方治理的成功经验，丰富升华为国家治理战略，与13亿中国人民一起，回应着世界和时代的深切询问。

2013年4月，党的十八届三中全会文件起草组经中共中央政治局批准正式成立，习近平总书记亲任组长。

中共中央政策研究室原副主任　郑新立：

各个地方、各个部门很踊跃，提出了上万条的改革建议。那么重点集中在什么地方呢？既要体现全面深化这样一个精神，又不是面面俱到。最后总书记出了个高招，集中解决制度性的问题,集中解决社会矛盾比较尖锐的问题,集中解决群众反映比较强烈的问题。

文件起草期间,许多人提出,新一轮改革涉及的部门和领域更多、推进难度更大、触及利益更深,必须有一个更高层级、更强有力的领导"中枢"来加强顶层设计。

大家的提议,与习近平总书记的构想不谋而合。他最终拍板决定,将建立更高层级的领导机制,负责改革的总体设计、统筹协调、整体推进和监督落实。

2013年7月,习近平总书记冒雨在湖北武汉考察,并就改革相关情况进行深度调研。

就是在这间会议室里,习近平与湖北省领导干部座谈时,首次提出了改革的五大关系,即解放思想和实事求是的关系,整体推进和重点突破的关系,顶层设计和摸着石头过河的关系,胆子要大和步子要稳的关系,改革发展稳定的关系。

他说,"改革的几个关系,在湖北讲,实际也是对全国讲"。

中国行政体制改革研究会秘书长　王满传:

总书记讲要处理好这五大关系,讲的是要认识和把握改革的规律,这既是改革的认识论,也是改革的方法论。我觉得它反映了总书记在全面系统总结我们国家过去三十多年改革开放经验的基础上,对进一步深化改革,系统、深邃的战略思考。

中国的全面深化改革,注定是一场史无前例的伟大实践和深刻变革。

每一步,都需精心布局、运筹帷幄。每一步,都需谋定后动、蹄疾步稳。每一步，都要踏石留印、抓铁有痕。

为了走好这坚实的一步，新一届中央领导集体奔波调研的足迹，生动地镌刻于中华大地的山水之间，体察世情民意、触问基层所需。人们透过这一幕幕，读解出以习近平同志为核心的党中央锐意改革、带领国家走向伟大复兴的坚定信念与奋斗情怀。

2013年11月，党的十八届三中全会在北京召开。会议正式将全面深化改革的总目标确立为"完善和发展中国特色社会主义制度，推进国家治理体系和治理能力现代化"。

习近平总书记：

党的十八届三中全会提出的全面深化改革总目标，是两句话组成的一个整体，即"完善和发展中国特色社会主义制度，推进国家治理体系和治理能力现代化"。前一句规定了根本方向，我们的方向就是中国特色社会主义道路，而不是其它什么道路。后一句规定了在根本方向指引下，完善和发展中国特色社会主义制度的鲜明指向。两句话都讲，才是完整的。

由前后两句话组成的全面深化改革总目标，是自党的十一届三中全会以来，首次围绕改革设立的宏大目标。这一次全会作出的决定，共启动了60条、300多项改革举措，涉及的范围之广、力度之大，均前所未有。而《决定》（《中共中央关于全面深化改革若干重大问题的决定》，下同）明确提出的经济体制改革要"使市场在资源配置中起决定性作用和更好发挥政府作用"，更是中国共产党改革理论的又一重大突破。

国际货币基金组织原副总裁　朱民：

我们当时看到这个概念，我就是很振奋的。因为在我们的体制改革的过程中，一直是有计划经济和市场经济的关系的问题。特别是过去20年全球化以来，市场资源配置的作用和范围越来越广，中国走市场化道路的改革发展，也是变成必然的趋势。所以在这个关键的时点，来定义市场化起到更关键的资源配置作用，我觉得是一个重大的政治和经济决策。

党的十八届三中全会，是中国改革"再出发"的一次总宣示、总部署、总动员。中国共产党带领全体中国人民，正用深入思考和丰富实践，作答着新一轮改革"全面"和"深化"这四个字的深刻内涵。

习近平总书记曾这样阐释："全面深化改革，全面者，就是要统筹推进各领域改革，就需要有管总的目标，也要回答推进各领域改革最终是为了什么、要取得什么样的整体结果这个问题。"

强调"全面"，就是强调必须构建起丰富全面的改革目标体系。在全面深化改革的总目标统领下，中央明确了各领域的分目标，改革的系统性、整体性和协同性特征凸显。

强调"全面"，就是强调顶层设计和整体谋划的重要性。各领域改革紧密联系、相互交融，任何一个领域的改革都会牵动其它领域，同时也需要其它领域改革密切配合。唯有强有力的顶层设计，才能开辟改革新局面。

强调"全面"，就是强调要构建一整套更完备、更稳定、更管用的制度体系。全面，体现在各领域改革的联动和集成里，体现在改革的总体效应、总体效果里。

全面深化改革，新在全面，难在深化。

习近平总书记曾做过这样的比喻：中国改革经过30多年，已进入深水区，好吃的肉都吃掉了，剩下的都是难啃的硬骨头。这一比喻，生动诠释了全面深化改革其"深化"二字的含义。

强调"深化"，就是强调改革不能浮于表面，必须向纵深推进。必须在以往改革成果的基础上，再上层楼、再进一步、再深一层。

强调"深化"，就是强调要具备攻坚克难的坚定意志。改革越入纵深，各种矛盾问题越交织叠加、错综复杂。改革开放中的矛盾，只能用改革开放的办法来解决。

强调"深化"，就是强调改革者要敢于触碰深层利益，敢于改手中的权、去部门的利、割自己的肉、动一些人的奶酪。改革者要敢闯敢试，能尽责，敢担当。

新加坡国立大学东亚研究所所长　郑永年：

改革先易后难，先吃肉后啃骨头。还有就是说你改革，早期改革的话我觉得比较容易一点，因为那个时候大家都很穷，中国人所说的穷则思变，因为很穷，大家互相发挥自己的能动性。但是改革到后面的话，我觉得不是处于饥饿状态了，很多人已经吃饱了，甚至有的人吃胖了，他不想动了，那你怎么办呢？我们就通俗地说，有既得利益产生了。早期既得利益少，后来既得利益庞大了，那你要克服既得利益，怎么办呢？

没有比人更高的山，没有比脚更长的路。再高的山，再长的路，只要锲而不舍前进，就有达到目的的那一天。改革面对的矛盾越多、难度越大，越要坚定与时俱进、攻坚克难的信心，越要有"明知山有虎，偏向虎山行"的勇气。

2013年12月30日，中共中央政治局召开会议，决定成立由习近平任组长，李克强、刘云山、张高丽任副组长的中央全面深化改革领导小组。党和国家最高领导人亲自挂帅，再次引发海内外高度关注。

中国社会科学院学部委员　张卓元：

中央成立这个小组，我们大家都觉得是非常有针对性，而且都寄很大的希望。因为我们改革越是进入深水区，到攻坚克难的阶段了，没有自上而下的推动，越来越难。

以党的十八届三中全会和中央深改领导小组成立为标志，中国全面深化改革的恢弘巨幕，壮丽开启！

中国的全面深化改革，是一场以问题为导向，统筹推进、重点突破的持久战。

习近平总书记多次强调，"改革是由问题倒逼而产生，又在不断解决问题中而深化"。能否有效解决经济社会发展面临的突出问题，是衡量改革成效的重要标准。

全面深化改革三年多来，坚持"问题导向"是其鲜明特征。坚持问题导向，要善于抓主要矛盾，让全面深化改革既形成统筹推进之势，又展现重点突破之力。在一些重大改革领域，中央既作出整体推进的部署，又选准重点，鲜明提出改革的先手棋是什么、当头炮打哪里。在一些复杂的改革难题面前，中央引导大家去准确判断问题的主与次、轻与重、急与缓，用符合实际情况、符合改革内在规律的时间表、路线图，推动全面深化改革攻坚克难。

坚持问题导向，坚持统筹推进、重点突破，极大地提升了全面深化改革的针对性、突破性和有效性，增加了改革的深度、锐度和整体力度。

改革和法治，如鸟之两翼、车之两轮。中国的全面深化改革，是一场注重法治引领、强化制度创新的根本性变革。

习近平总书记多次指出，在全面深化改革中，要高度重视运用法治思维和法治方式，发挥法治的引领和推动作用。这一论断，鲜明定义了"改革"与"法治"的辩证关系，即重大改革要于法有据，立法要主动适应改革发展需要。

全国人大常委会法制工作委员会副主任　许安标：

在改革进程中来完善法治，我们改革实践中有些制度、有些实践探索、有一些成功的经验上升到法律层面，那么就是完善法治。同时改革也要在法治的轨道上进行，这样就增强我们改革的这种权威性。

全面深化改革三年多来，制度设计、制度安排、制度完善、制度保障、制度衔接，始终是总书记论及改革时的"高频词"。而一大批关系党和国家事业发展全局的重大制度改革，正在为我国完善和发展中国特色社会主义制度、推进国家治理体系和治理能力现代化夯实基础。

以制度创新来推动改革，更能越过事物的表象，击中改革的要害，抓住改革的根本；更能使改革态势跃出局部，延展到全局；更能使改革力度穿透表面，抵达矛盾汇聚的深处和利益交错的枢纽。

以制度创新来推动改革，更能体现国家长治久安的现实需要，有利于在改革的破与立之间，在此项改革与彼项改革之间，在改革与法治之间，构建起稳定的连接体系。

在法治引领下的制度创新，极大地提升了全面深化改革的制度含量，让改革中的"破"更有分量，让改革中的"立"更加稳固。

中国的全面深化改革，既注重顶层设计也注重基层探索，既抓方案出台也抓效果落地，彰显着睿智严谨的改革理念与务实担当。

习近平总书记曾反复强调，"无论改革推进到什么阶段，人民首创精神都不能忽视"。

全面深化改革，始终将"顶层设计"和"基层探索"二者有机结合。

俗话说，撼山易、治水难。曾经，"九龙治水、各管一段"。为破解分割管理这一老大难问题，近年来，我国多省市试点推行"河长制"，将河流水域由"河长们"分段管护、包片负责，河流污染得到了有效控制。总结基层探索的成功经验，中央深改领导小组第二十八次会议正式审议通过了《关于全面推行河长制的意见》。"河长"，从此遍及全国。

经济学家　刘世锦：

现在我们强调是要顶层设计，同时要有基层的实验，这两个方面缺一不可、相辅相成。作为顶层设计，我的理解就是解决两个问题，第一就是指方向，第二就是要划底线。方向搞清楚了、底线划清楚了，剩下就是到底一种什么样的体制机制是管用的，是符合实际的。这个还是要让我们各级地方政府、我们的企业、我们的人民群众大胆地去试。

全面深化改革改到深处，没有轻松愉快，没有现成答案，没有后退余地，没有徘徊理由。

如今，"改革要抓铁有痕、踏石留印"，"要聚焦、聚神、聚力抓落实"……，习近平总书记的许多改革"金句"，人们早已耳熟能详。

针对一些地方和部门存在懒改、慢改、假改和不会改的现象，习近平总书记多次指出，广大党员干部在全面深化改革中必须要尽责担当，既当改革促进派，又做改革实干家；党政主要负责同志是抓改革的关键，要亲自抓、带头干，勇于挑最重的担子，啃最硬的骨头。

中央深改领导小组也不断围绕建立全过程、高效率、可核实的改革落实机制，开展改革督察，抓好改革试点等工作作出部署。

"胜利不会向我走来，我必须自己走向胜利。"

美国诗人穆尔的这句话，常被习近平总书记提及和引用。三年多来，高度重视顶层设计，充分尊重人民群众首创精神，坚定不移抓改革举措的落准、落细、落实，已成为全面深化改革的鲜明特征。

中国的全面深化改革，是促进社会公平正义、增进人民福祉的宏大布局。"获得感"一词，诠释着改革永恒不变的价值底色。

在党的十八届三中全会通过的全面深化改革的《决定》中，"人民是改革的主体"这一论断，格外醒目。

许多国外媒体和政要也撰文写道：强调人民性，以人民为中心，发展依靠人民，发展成果服务人民，这是习近平一以贯之的民本情怀。

习近平总书记：

上世纪60年代末，我才十几岁，就从北京到中国陕西延安市一个叫梁家河的小村子，我到那儿去当了农民，在那里度过了七年的时光。那时候我和乡亲们都住在土窑洞里，睡的是土炕，乡亲们的生活十分的困苦，经常是几个月吃不到一块肉。我了解乡亲们最需要什么。

七年的农村生活、七年的甘苦与共。那段与黄土高原的纯朴乡亲同吃、同住、同劳动的艰辛岁月，让习近平和当地百姓结下了深厚情谊，也使他更深切了解到什么是中国的农村、什么是百姓的喜怒哀乐、什么是中国的基本国情。他对人民的深情和对脚下这片土地的担当，已深深融入他的执政理念和人生追求中。

2017年新年前夕，人们透过电视屏幕，再一次感受到国家最高领袖那份深沉而温暖的牵挂。

习近平总书记：

新年之际，我最牵挂的还是困难群众，他们吃得怎么样、住得怎么样，能不能过好新年、过好春节。

人民有所呼，改革有所应。透过这殷殷话语循此回望，从习近平就任总书记仅一个月，就冒雪赶赴河北阜平"看真贫、扶真贫"，到给独龙族乡亲复信嘱托"加快脱贫致富步伐"；从在湖南苗寨首次提出"精准扶贫"，到遍及大江南北的坚实足迹，带领几千万贫困人口整体脱贫的庄严承诺，正被中国共产党人以实际行动，赋予着最丰厚的内涵。

江西省井冈山市茅坪乡神山村村民　彭水生：

你是我们的好领导，那么远到我们这个穷山沟里来，这是我们全山沟的福气，是我们中国人的福气。你呀，不错嘞！好书记呀，我们代表这些群众大家一起都欢迎你。现在中央的政策好，对我们老百姓关心都很好！

焕发改革热情、投身改革实践、分享改革成果，人民始终是改革的主体。

全面深化改革因为紧紧扣住人民所愿，紧紧依靠人民智慧，而充满生机活力。

全面深化改革，是中国共产党历史上的又一次伟大觉醒。

正是这一伟大觉醒，孕育了她在新时期从理论到实践的一个个伟大创造。

党的十八大以来，以习近平同志为核心的党中央，从实现

"两个一百年"奋斗目标、实现中华民族伟大复兴的战略高度，统筹推进"五位一体"总体布局、协调推进"四个全面"战略布局：从十八大正式提出全面建成小康社会，到三中全会吹响全面深化改革集结号；从四中全会提出全面依法治国，到五中全会以新发展理念布局"十三五"，再到六中全会全面从严治党的新部署……一幕幕宏大布局渐次展开。

今天的神州大地，正发生着数不清的改变。亿万中华儿女的力量汇聚，延展为中国现代化进程中最为璀璨的特殊单元，笃定决绝，豪迈而清晰。

习近平总书记曾经这样阐述：如果把全面深化改革比作建造大厦的话，头三年是夯基垒台、选材备料、立柱架梁的三年，这个重要的阶段性目标达到了，实现全面深化改革总目标就迈出了坚实的一大步。

放眼今日中国，全面深化改革各主要领域具有"四梁八柱"性质的改革主体框架已基本确立。

紧紧围绕使市场在资源配置中起决定性作用和更好发挥政府作用深化经济体制改革，中国经济的发展更有效率、更加公平、更可持续。

紧紧围绕坚持党的领导、人民当家作主、依法治国有机统一深化政治体制改革，中国的人民民主更加广泛、更加充分、更加健全。

紧紧围绕建设社会主义核心价值体系、社会主义文化强国深化文化体制改革，为中华民族复兴凝聚强大的精神力量。

紧紧围绕更好保障和改善民生、促进社会公平正义深化社会体制改革，关照百姓冷暖，提高、改善人民生活质量，促进人的全面发展。

紧紧围绕建设美丽中国深化生态文明体制改革，"看得见山，望得见水，记得住乡愁"，促进人与自然的和谐共处。

紧紧围绕提高科学执政、民主执政、依法执政水平深化党的建设制度和纪律检查体制改革，永葆中国共产党的先进性和纯洁性。

紧紧围绕着人民群众的获得感，浓墨重彩，舒展画卷。健全产权保护制度，回应了亿万公众"有恒产者有恒心"的期待；全面二孩政策落地，促进了人口均衡发展；户籍制度改革，让更多人享有均等化的公共服务；精准扶贫精准脱贫，努力补上全面建成小康社会的最大短板；医药卫生体制改革，发起了向"以药养医"的总攻；以考试招生制度改革为龙头，教育改革力促均衡发展。

党的十八届三中全会闭幕时，海外舆论对中国确定的几百项改革任务曾不乏怀疑之声。如今，面对中国全面深化改革已基本确立的"四梁八柱"和一项项重大成果，他们纷纷作出这样的评价："环顾世界，没有一个国家能像当今中国这样，以一种说到做到、只争朝夕的方式推进改革"。

2014 年，中央深改组确定的 80 个重点改革任务基本完成，各方面共出台 370 个改革方案。

2015 年，中央深改组确定的 101 个重点改革任务基本完成，各方面共出台415个改革方案。

2016年，中央深改组确定的97个重点改革任务基本完成，各方面共出台419个改革方案。

2017年上半年，中央深改组已审议60多个重点改革文件。

党的十八届三中全会以来，全面深化改革，已成为当今中国最鲜明的时代特征。它让全体中国人民受益，也为全球治理提供着中国智慧、中国方案和中国信心。

世界经济论坛主席 施瓦布：

如今中国拥有强大的声音。为了世界经济可持续的、强劲的、包容性的增长，我们需要进行国际合作，而中国可以承担起引领性的角色。

中国的全面深化改革，充分发挥了党总揽全局、协调各方的领导核心作用。一个更加坚强有力的中国共产党，正稳健地领导着改革的恢弘进程。

习近平总书记：

走得再远，走到再光辉的未来，也不能忘记走过的过去，不能忘记为什么出发。面向未来，面对挑战，全党同志一定要不忘初心，继续前进。

不忘初心，继续前进！

在推动全面深化改革的伟大实践中，习近平总书记已亲自主持召开了36次中央深改领导小组会议，共审议、通过重点改革文件340多个。

中国的全面深化改革，循前人改革之伟业，立足今天，面向未来，始终在路上，永远在路上。

回首全面深化改革大幕开启后的1200多个日日夜夜，一个个熠熠生辉的瞬间，正在为梦想中国的改革征程注入无穷动力。

一代人有一代人的使命，一代人有一代人的长征。而今天的长征路，就是必须将改革进行到底！

全面深化改革，是一场具有新的历史特点的伟大实践。习近平总书记基于对历史经验和现实挑战的深刻洞察，以战略思维谋全局，以辩证思维解矛盾，以法治思维图善治，以系统思维聚合力，以底线思维定边界，以创新思维增活力，以开放思维拓视野……这些新的改革思想，夯筑着一个国家治国理政的基石，并正在成为人类文明的一部分。这些改革思想，塑造着一个更具实力、引领时代发展的社会主义中国，也开辟了中国改革开放道路的全新境界。

全面深化改革，是对中国特色社会主义改革理论的丰富和发展。它透过一个个重大理论创新、实践创新和制度创新，回应了全面深化改革"为什么改"、"往哪儿改"、"为谁改"、"怎么改"、"如何改到位"等时代关切，也深刻作答着新的历史时期如何走好中国道路，如何完善和发展中国特色社会主义制度，如何推进国家治理体系和治理能力现代化等一系列重大课题。

全面深化改革，是推进"四个全面"战略布局的强大动力，更是实现中华民族伟大复兴中国梦的根本路径。以习近平同志为核心的党中央高擎改革旗帜，带领全体中华儿女坚持中国特色社会主义道路自信、理论自信、制度自信、文化自信，在历史的时空坐标里，谱写着最雄浑壮美、豪迈空前的时代乐章！

第二集

引领经济发展新常态

第二集《引领经济发展新常态》
完整视频

当二十一世纪第二个十年来临时，处于严重衰退中的世界经济，正奋力寻找着摆脱困局的出路。

中国，此时已一跃成为世界第二大经济体。但是造就这一奇迹的经济发展方式，却遇到了越来越严峻的挑战。投资、出口的拉动力越来越小，土地、劳动力等要素价格越来越高，资源、环境的约束越来越紧。

近四十年来，中国经济滚滚向前、洪流不息，最宝贵的经验之一，就是不断改革——用改革激发活力，让人民群众从改革与发展中受益。今天，发展中出现的问题，要用更高质量的发展来解决；发展中遇到的难题，要用更坚定更深入的改革来破解。

2013年，党的十八届三中全会指出，经济体制改革是全面深化改革的重点，核心问题是处理好政府和市场的关系，使市场在资源配置中起决定性作用和更好发挥政府作用。

这是一场新的更为深刻的经济体制改革。

习近平总书记：

老路既行不通又走不远，必须开辟新的发展路径，激发经济潜力，引领经济发展走向更加光明的未来。这是我们的历史责任。

党的十八大以来，以习近平同志为核心的党中央带领中国人民，以前所未有的勇气和决心，开启了一场中国经济发展方式向更高形态发展的结构之变。

2008年，一场国际金融危机席卷全球。

中国虽然短期内稳住了增长，但是，从2011年起，带动中国经济三十年增长的投资、消费和出口的增速同时下降，经济增速持续下行。

此时，中国人的海外消费却在上升。近年来，从奢侈品到普通生活用品，每年中国人有上万亿元人民币花在国外。而此时的中国企业呢？大量产品卖不出去，日子越过越难。钢铁、煤炭、水泥等多个行业产能严重过剩、利润减少。

习惯了多年的高速增长之后，略有减速，就让很多人觉得不适应。减速是短期变化还是长期趋势？

难题与希望并存，低迷与活跃并存，供给过剩与供给不足并存。经济结构要调整，但新的结构是什么？内生动力从哪儿来？

中央财经领导小组办公室副主任　杨伟民：

社会各界、市场、各级地方政府，甚至包括在部门当中，都有一些不同的声音、不同的意见。在2013年的时候，中央经济工作会议上，总书记在部署第二年经济工作当中，就用了"新常态"这样一个提法。

"新常态"，在2013年的现代汉语词典里，还找不到这个词。若干年后，当人们回望历史，一定会更清晰地理解，这是习近平总书记给中国经济的未来确立的全新历史坐标。

中国经济需要清醒的瞭望者给出方向。

2014年一季度，中国经济7.4%的季度增速创下24年来的最低点。这再次引发是否要加大经济刺激力度的讨论。

5月，习近平总书记在考察河南时指出，解决中国经济的问题要有历史耐心。在此次考察的新闻报道中，"新常态"一词，在公众视野里第一次出现。

两个多月后，党外人士座谈会上，习近平总书记再次提出，要把思想和行动统一到中共中央决策部署上来，正确认识我国经济发展的阶段性特征，进一步增强信心，适应新常态，共同推动经济持续健康发展。

2014年11月，在北京APEC工商领导人峰会开幕式的主旨演讲中，他首次对"新常态"一词进行了系统阐述。

习近平总书记：

中国经济呈现出新常态，有几个主要特点，一是从高速增长转为中高速增长；二是经济结构不断优化升级；三是从要素驱动、投资驱动转向创新驱动。

速度、结构、动力，六个字，三个关键词，勾勒出"经济发展新常态"的基本内涵。这是习近平总书记深刻洞悉中国经济发展规律作出的重大判断。

习近平总书记：

认识新常态、适应新常态、引领新常态，是当前和今后一个时期我国经济发展的大逻辑。

举一纲而万目张，解一卷而众篇明。

改革家总是能从纷繁复杂的现象中，以简洁凝练而又内涵丰富的语言，揭示事物本质。

习近平总书记用"新常态"来定义当下中国经济所处的阶段，这当中透射出的深邃的历史眼光和战略定力，扫清了人们思维上的迷雾，对中国经济"怎么看"的重大理论和现实问题作出了鲜明回答。

明者因时而变，智者随事而制。

经济发展新常态的重大判断，带来的是党中央经济工作思路的重大调整。

2015年11月，在中央财经领导小组第十一次会议上，习近平总书记指出，在适度扩大总需求的同时，着力加强供给侧结构性改革，着力提高供给体系质量和效率，增强经济持续增长动力，推动我国社会生产力水平实现整体跃升。

"供给侧结构性改革"，这是习近平总书记继"经济发展新常态"之后作出的又一重大理论创新。它回应了适应、引领经济发展新常态，应该"干什么"。

中央财经领导小组办公室副主任　杨伟民：

在这个过程当中，总书记亲力亲为，连续开了三次中央财经领导小组会议来研究。第一次是确定要推进供给侧结构性改革，第二次是研究供给侧结构性改革单项方案的工作思路，接下来第三次的财经小组会是研究具体的工作方案。就是一环套一环，环环相扣，最后把供给侧结构性改革推向深入。

围绕供给侧结构性改革这条主线，中央继而开出了一剂标本兼治的药方。

去产能，让绝对过剩的产能退烧去热；去杠杆，消除瘀堵虚肿，让资金血脉畅行；去库存，消除困扰发展的炎症病痛；降成本，减税降费，为企业休养生息创造良好的政策环境；补短板，提升基础设施、加强公共服务、培育发展新产业，让经济社会发展强身健体。

2016年，化解煤炭产能超过2.9亿吨，压减粗钢产能超过6500万吨。中国经济，以壮士断腕的决绝，向旧的发展方式告别。

供给侧结构性改革，牵一发而动全身。党的十八届三中全会提出的深化经济体制改革的诸多任务，都因为供给侧结构性改革这一主线的形成，而呈现纲举目张之势。

2017年，供给侧结构性改革的发力点，进一步拓展到农业、振兴实体经济、促进房地产平稳健康发展等多个领域。

佛山，早在上世纪八十年代，这里便是改革前沿之地，也是最早尝到改革开放甜头的地方。如今，这个以制造业为主的地级市，经济总量接近一万亿元，同时也体会着结构转变的紧迫压力。

供给侧结构性改革，正在重塑这里的实体经济。

这是佛山的一家陶瓷工厂。每天，这条生产线能生产出一万平方米的大理石瓷砖，销往世界各地。

佛山众陶联网络科技有限公司总经理　蔡初阳：

去年中国陶瓷出口下降了33.75%，每公斤瓷的销售单价下降了28%。这个改变也使得中国不少陶瓷企业进入了一个非常艰难的生存之战。

佛山陶瓷曾一度占据全国60%以上的市场。而今，高耗能高污染低价格、以量取胜的路子已经走不通了。

广东省佛山市陶瓷行业协会顾问　白梅：

现在关键是要做品质，要把整个的质量提升上去。

在政府的引导下，佛山14家企业联合成立了一家产业平台，集合业内顶级专家，为陶瓷生产制定了108个原料标准和36个检测标准，更精细、更严格的质量管控体系覆盖生产全过程。连沙子、石头这些最普通的原料，都要纳入统一管控。标准推行几个月，产品优等率提高了3个百分点。

眼下，佛山众多制造业企业都在对沿用多年的生产线进行调整。更精细的流程管控、更先进的智能装备，让产品供给能够更好地满足市场需求。

不仅是佛山，220多种产品产量居世界第一的中国制造，正在这场从"有"到"优"的供给侧大变革中，书写着转型升级的故事。

结构之变，是追求质量效益之变，更是经济发展方式之变。

结构之变，是全面之变，更是深层之变。

深化供给侧结构性改革的深层次着力点，就是进一步处理好政府和市场的关系。这是经济体制改革的核心问题，也是结构之变的关键。

党的十八届三中全会提出，"使市场在资源配置中起决定性作用和更好发挥政府作用"。

十五大　使市场在国家宏观调控下对资源配置起基础性作用

十六大　在更大程度上发挥市场在资源配置中的基础性作用

十七大　从制度上更好发挥市场在资源配置中的基础性作用

十八大　更大程度更广范围发挥市场在资源配置中的基础性作用

十八届三中全会　使市场在资源配置中起决定性作用

在党的十八届三中全会上，习近平总书记带着大家回望历史。他指出，从党的十四大以来的20多年间，我国社会主义市场经济体制已初步建立。对政府和市场关系，我们一直在根据实践拓展和认识深化寻找新的科学定位。可以看出，我们对政府和市场关系的认识也在不断深化。中央认为这个问题从理论上作出新的表述，条件已经成熟，应该把市场在资源配置中的"基础性作用"修改为"决定性作用"。

把市场配置资源的决定性作用旗帜鲜明地提出来，体现出以习近平同志为核心的党中央，对市场规律的认识在不断提高。这是中国共产党人对中国特色社会主义建设规律认识的一个新突破。

这幅8米多长的"万里长征图"，是广州市政协委员曹志伟将一项社会建设工程从立项到通过政府审批的108个公章、799个审批工作日，微缩在一起画出的。这是一张精确写实的画，描述出在原有的行政审批体制下，待批项目辗转于部门之间的"万里长征"。

在处理好政府和市场关系的努力中，行政审批制度改革，就是一场刀刃向内的自我革命。

改革的难度，当然不小。

几年来，这张"万里长征图"一直在不断缩短。2015年7月，曹志伟建议进一步大幅削减投资项目审批事项，期待着画出个3.0版本。

广东省广州市政协委员　曹志伟：

以前我们做"万里长征图"，每一个事项提问题，叫做"针针见血"，3.0的改革必须是什么？"刀刀见肉"。

曹志伟以政协委员的身份，上交了削减行政审批环节的提案。他建议削减的审批事项有76个，回复显现变化的是23个，真正裁减的是5个。

广东省广州市政协委员　曹志伟：

每一项都博弈，因为什么？每砍掉一项审批，你就拿掉了一些人的饭碗。

"万里长征图"变短了。它还可以变得更短。

它是一面镜子,映衬出改革的艰难,也记录着改革的突破。

党的十八大以来,国务院各部门取消或下放行政审批事项618项;取消中央指定地方实施行政审批事项283项。中央政府层面核准的企业投资项目削减比例累计接近90%。工商登记前置审批事项中的87%,改为后置审批或取消。在市场体系建设中建立公平竞争审查制度。"简政放权、放管结合、优化服务"的改革得到了有效落实。

现在,每一天,在中国,就有15000多家企业破土而出。

上海社会科学院院长 王战:

你有100家企业破产了,有500家企业诞生了,这本身就是一个我们经济结构调整的过程。

市场活力的迸发,源于政府在改革中归位。

党的十八届三中全会以来,财税、价格、金融、信用体系等基础性、关键性的改革不断实现突破。

2014年,《深化财税体制改革总体方案》给出了建立现代财政制度的路线图和时间表。

价格改革,全社会商品和服务价格由市场调节的比重提升到97%左右,我国市场决定价格的机制已基本建立。

在金融领域,利率管制已基本放开,市场在汇率形成中的决定性作用进一步提高;民营银行设立进入常态化审批;多层次资本市场发展不断深化。存款保险制度已经推出,金融安全网进一步健全。

以信用为核心的新型市场监管机制建设正在推进，社会信用体系建设已进入全新发展阶段。

一个有目共睹的事实是：市场化改革不断深入，市场体系不断完善，正为中国经济的结构之变提供坚强的制度保障。

速度换挡、结构优化、动力转换——引领经济发展新常态，用力用到深处，必定落在寻找新动力、挖掘新动能上。

由此，创新驱动发展战略，成为引领中国经济加速更换动力的顶层设计。在习近平总书记的系统部署和强力推动下，中国正在大踏步跨入创新驱动发展的新阶段。

2013年9月，十八届中央政治局集体学习的"课堂"，第一次走出中南海，搬到了中关村。

科技部部长　万钢：

给我印象很深的，就是总书记具有强烈的忧患意识。他认为，其实中国丧失了多次科技革命和产业革命的机遇，才使得我们落后。所以当前我们必须要抓住现在的，新一代科技革命和产业变革的重大机遇。机遇稍纵即逝。

当今世界，一些重要的科学问题和关键核心技术，已经呈现出革命性突破的先兆。以创新之力撬动结构调整和转型升级，始终是习近平总书记关注的焦点。

2015年3月，他提出了"创新是引领发展的第一动力"。

2015年11月，党的十八届五中全会上，"创新"作为五大新发展理念之首，被摆在国家发展全局的核心位置。

2016年5月，《国家创新驱动发展战略纲要》发布。

习近平总书记：

如果说创新是中国发展的新引擎，那么改革就是必不可少的点火器。要采取更加有效的措施，把创新引擎全速发动起来。

改革，改出更鲜明的国家力量。

《中共中央 国务院关于深化体制机制改革加快实施创新驱动发展战略的若干意见》、《深化科技体制改革实施方案》印发，建立国家科技管理平台，打破条块分割，整合资金支持；制定国家实验室发展规划、运行规则和管理办法，牵头组织国际大科学计划和大科学工程，加强基础研究，增强原始创新能力。

改革，正在改出国家创新力的根基，正在改出更鲜活的经济新动能。不竭动力，正如涓涓细流，汇成江河。

致天下之治者在人才。

推进创新驱动发展的关键环节，就是释放创新人才的最大潜力，实施以知识价值为导向的分配政策，激发科技人员创新创造的热情。

党的十八大以来，人才的走向有了新变化。越来越多的留学人员选择回国开辟事业，出现了新中国成立以来规模最大的海归潮。

2016年5月30日，科技界最高规格的三大会议同步召开，这在新中国历史上还是第一次。

科技部部长 万钢：

那天总书记作完报告以后，我去送他的时候，多叮嘱了我一句话，万钢同志你观察到没有，和科技人员切身利益息息相关的掌声,是从后面往前边来的,楼上往楼下传的。我也观察到,后面坐的是年轻的科技人员,要从掌声中感受到科技人员的期盼。

这掌声是共鸣,是回应,更是礼赞。

中国,幅员辽阔。促进城乡间、区域间的均衡协调发展,是结构之变的一道必答题。

在2014年中央经济工作会议上,中央首次提出了"一带一路"建设、京津冀协同发展、长江经济带新的三大战略。

在京津冀协同发展中,疏解北京非首都功能任务成为重中之重。怎么疏解?需要新思路,需要大气魄。

《新闻联播》:

日前,中共中央、国务院印发通知,决定设立河北雄安新区。

2017年4月1日,设立河北雄安新区的消息,引来举国上下的高度关注。

京津冀协同发展专家咨询委员会组长　中国工程院主席团名誉主席　徐匡迪:

十八大以后,习总书记就提出,可以考虑在河北比较适合的地方,规划建设一个适当规模的新城,来集中承载北京的非首都功能。

经过多轮科学、严密的论证,有着充裕发展空间的雄安,被选定为北京非首都功能的集中承载地。雄安新区,将和北京城市副中心一起,形成北京新的两翼。

习近平总书记：

建设雄安新区是一项历史性工程，一定要保持历史耐心，有功成不必在我的精神境界。

河北雄安新区的设立，是千年大计、国家大事。

八十年代看深圳，九十年代看浦东，二十一世纪看雄安。中国经济版图上正在谱写新的壮丽诗篇。

中国农村改革的核心始终是土地问题。波澜壮阔的改革，发端于土地，收获于土地，也不断在土地上捕捉着深入推进制度变革的新契机。

以习近平同志为核心的党中央，牢牢抓住"土地"这个农村改革的核心问题，做出了一篇以"三权分置"为龙头的，有内容、有气势的改革文章，为进一步破解"三农"领域诸多难题，为大幕徐徐拉开的农业供给侧结构性改革，搭起了壮阔的历史舞台。

天长农民徐长林，2013年把15亩地流转给了当地的种田大户，外出打工去了。合同签的是12年，但仅仅一年后，徐长林又把地要了回来。

安徽省天长市大通镇齐庙村　徐长林：

睡不着觉，就想来想去，地要是真没了我怎么办？咱老百姓靠地吃饭对吧，一旦我打工不能打了怎么办，那没办法了。我就想了这么个歪点子，给它要回来。

把地转出去的不踏实，把地转到手里来的也不踏实。种田大户张治岑，从镇里农民手中流转了500多亩土地，但后来有村民反悔。一气之下,张治岑解除了合同。

安徽省天长市市长　朱大纲:

就是土地的权属不清晰,承包户有顾虑,经营主体更有顾虑。

2014年9月29日,在中央深改领导小组第五次会议上,习近平总书记用"三权分置"的思路,给农村土地制度改革定了调。

"三权分置",就是将农村土地的承包经营权拆分开,承包权归承包户,而经营权流转给愿意种地的经营主体。

农业部部长　韩长赋:

总书记他讲,在这个问题上,我们要有历史耐心。因为农村的土地承包关系是农村的最基本的经济制度,也反映了农民的最根本的利益。三权分置,是继家庭承包经营之后重大的制度创新,可以说这是一个充满政治智慧的制度性安排。

2016年8月30日,中央深改领导小组第二十七次会议审议通过了《关于完善农村土地所有权承包权经营权分置办法的意见》。两个月后,文件正式发布。

改革方向如此笃定,种田人的心,也定了。

天长农民徐长林又找到原来的种田大户,把土地再次流转给了他。种田大户张治岑又流转来了450亩土地,扩大了经营范围。他的家庭农场,2017年预计纯收入能到35万多元。

如今,全国有7000万户农民流转了土地,占全部农户的30%,土地流转面积占到总的承包面积的35%,农业经营规模化程度明显提高。

"有恒产者有恒心，无恒产者无恒心。"

这是孟子在2300多年前写下的、对人性朴素而深刻的认识。在中央财经领导小组第十三次会议上，习近平总书记引用了这句话，再次强调产权制度是社会主义市场经济的基石。

健全产权保护制度，是全面深化改革进程中的又一项事关全局的重大改革。

2016年，曾常年保持年均20%以上增速的民间投资，一度跌落到2%左右。为什么？

企业家信心不足，是其中一个重要原因。

全国工商联原副主席　庄聪生：

我们在调研的过程当中，企业家也跟我们反映了一种情况，说什么呢，叫"小富即安、大富不安"。如果他们的产权得不到保护，那么他们做到一定规模就不想再做了，钱挣得越多心越慌。

2016年8月，中央深改领导小组第二十七次会议审议通过了《关于完善产权保护制度　依法保护产权的意见》。11月，这个文件以中共中央、国务院名义下发，明确提出依法保护产权。

这项改革，回应了上上下下的普遍关切，更向社会释放出一个明确而积极的信号。

国家发展改革委副主任　连维良：

这个文件坚持问题导向，针对人民群众和市场主体最为关心的法人财产权、自然人财产权、知识产权保护这样一些问题，提出了有针对性的解决措施。

在中央关于产权保护的意见公布之后，最高人民法院、最高人民检察院很快出台了配套的具体意见，并抓紧甄别纠正一批社会反映强烈的产权纠纷申诉案件。

2017年3月，在十二届全国人大五次会议上，《民法总则》审议通过，明确提出法律保护民事主体的财产权利。

全国工商联原副主席　庄聪生：

公有制经济和非公有制经济，这个都要平等地保护。过去相对来说，对民营企业的保护要弱于国有企业，所以这一次强调都要一样，机会平等、权利平等、规则平等。

平等，不是空头支票。

石油、电力、铁路等多个行业开始向民间资本打开大门。2016年12月，首条民营资本控股的高速铁路在浙江台州开工建设。

深入推进国资国企改革，是全面深化改革的重要篇章，也是供给侧结构性改革的应有之义。

国企改革，不是要把国企改散了、改垮了、改没了，而是体现"两个毫不动摇"，优化国有企业布局，提高国有企业竞争力，促进多种所有制经济携手共同发展。

目前，我国国有企业资产总额超过144万亿元，在国民经济中起到举足轻重的作用。

在考察吉林时，习近平总书记特地来到两家国有企业。他指出,"推进国有企业改革,要有利于国有资本保值增值,有利于提高国有经济竞争力,有利于放大国有资本功能"。

  有利于国有资本保值增值

  有利于提高国有经济竞争力

  有利于放大国有资本功能

这为国企改革确立了价值判断,成为深入推进国企改革的定盘星。

2015年8月24日,《中共中央、国务院关于深化国有企业改革的指导意见》出台。以此为统领,国企分类、发展混合所有制经济、完善国资监管体制、加强党的领导、防止国有资产流失等多个配套文件出台,共同形成了国企改革的设计图、施工图。国企改革"1+N"体系就此搭建完成。

2017年,混合所有制改革被列为国有企业改革的突破口。

初春之夜,上海郊区的这个宾馆里,许多人无法入眠。他们是国企东航物流公司6000多名员工的代表,讨论的核心内容,是企业改制和人员的重新安排。

体制机制的束缚,曾是这家企业最大的困扰。工资薪酬不能随业绩增长而提高,企业留不住人,公司管理层无法自主经营决策。

这次,100%国资的东航物流公司,将面向社会出让45%的股权,以引进新的战略投资和财务投资者。同时,员工持股10%。

中国东方航空集团公司总经理 马须伦:

混改以后我们吸收民营资本进来,真正建立市场化的内部机制，使企业进一步增强活力。

国企改革挺进深处，提升效率。国有资本布局不断优化。党的十八大以来，央企已从115家减少到102家。10家中央企业完成重组，优化了核心竞争力，提高了国有资本效率。10家企业开展了国有资本投资公司、运营公司试点。收放之间，国有资本、国有经济在优化中壮大，公有制基础更加牢靠。

改革的内在哲学，就是"变与不变"。

不能变的，是"两个毫不动摇"。能变的，是有利于增强国有企业活力的体制机制。

近年来，"逆全球化"思潮将世界经济又推到了一个十字路口。

2017年1月，世界经济论坛首次迎来了中国国家元首。在这里，他向世界提出了中国主张。

习近平主席：

我们要顺应大势、结合国情，正确选择融入经济全球化的路径和节奏；我们要讲求效率、注重公平，让不同国家、不同阶层、不同人群共享经济全球化的好处。这是我们这个时代的领导者应有的担当，更是各国人民对我们的期待。

在新的历史起点上，中国形成了崭新的开放格局，在自身的深刻变革中，正从经济全球化的积极参与者，变成更有影响力的思考者、更有作用力的推动者。解决好中国与世界的关系，统筹国内国际两个大局，始终站在这个高度上布局谋篇。

中国与世界经济的关联方式，正从最初的"三来一补"向

"优进优出"转变；产业体系正从国际分工协作的局部，跃升至与整个全球价值链深度铆合的全流程再造；越来越多的中国企业不断壮大，开启全球布局，我国已从资本净流入国，成为资本净输出国；以上海自贸试验区为发端，至全国11个自贸试验区，一批与国际经贸规则相衔接的基本制度框架正在试验、复制、推广。

志合者，不以山海为远。

2017年5月，"一带一路"国际合作高峰论坛在北京举行。

习近平主席：

我宣布，"一带一路"国际合作高峰论坛圆桌峰会开幕。

30个国家的元首、政府首脑和多位国际组织的负责人齐聚北京。

联合国秘书长　古特雷斯：

这不只是发展物质的项目，还能凝聚民心。这不仅是为了发展，还有和平。这是"一带一路"倡议的伟大价值所在。

"一带一路"倡议的提出和落实，是经济全球化深入发展、世界经济格局变化，以及中国自身发展方式转变的需要，是"丝路精神"与经济全球化理念的有机结合；是开创包容性全球化道路的一种有益尝试。

诺贝尔经济学奖获得者　斯蒂格利茨：

从来没有这么大的国家，进行市场化经济改革，所以中国必须创造自己的改革方式。虽然今后改革还有很多路要走，但在我看来，中国做出的这些抉择令人钦佩。

党的十八大以来，以习近平同志为核心的党中央作出经济发展新常态的重大判断，回答了对中国经济"怎么看"的问题。

以新发展理念为指导、以供给侧结构性改革为主线的政策体系，则为"干什么"勾勒了前行路径。

稳中求进工作总基调为"怎么干"提供了思想方法。

这一系列重要思想，展现了中国特色社会主义政治经济学的理论光芒，为马克思主义政治经济学的创新发展贡献了中国智慧。

察势者智，驭势者赢。

在这段改革开放的新征程上，中国经济保持了中高速的增长，对全球经济增长的贡献率超过30%。

在这段新征程上，经济质量效益不断提高，中国经济发展的含金量不断提高。

在这段新征程上，中国经济的结构之困正在被一点点突破，战略性新兴产业、装备制造业实现领跑，满足新需求、吸纳就业更多的服务业不断壮大。

在这段新征程上，中国经济的新动能蓬勃而出，科技进步的贡献率超过56%，航空发动机、量子通信、深空深海探测，上天入海，一大批体现国家战略意图的重大科技项目接连取得突破。

在这段新征程上，物价连续四年保持稳定，居民消费价格涨幅在3%以下，百姓收入增速与经济增速基本同步，每年1300多万人找到新的工作。

改革开放的新征程，正向着未来延续。

以习近平同志为核心的党中央，正在以巨大的勇气和决心，带领中国人民，深化经济体制改革，紧紧扣住处理好政府和市场关系这一核心，大力转变发展方式，奋力突破结构之困，为中华民族的伟大复兴奠定常青基业。

第三集

人民民主新境界

第三集《人民民主新境界》完整视频

二十八年前，一篇名为《历史的终结》的文章在西方世界引起广泛关注。文章中，美国政治学者弗朗西斯·福山写道：自由民主制已经成为"人类政府的最后形式"，历史将终结在这里。

似乎在印证这个论断，20世纪末，苏联及东欧社会主义国家陆续发生剧变。

人们的目光投向中国。这个走了一条与西方政治制度不同道路的国家，会是下一个被终结者吗？

这同样是令中国的执政者时刻警醒的问题。

立足于悠久文明根基之上，立足于现实基本国情之上，立足于几十年风雨艰辛探索之上，来自中国的回答，坚定而自信。

习近平总书记：

历史没有终结，也不可能被终结。中国特色社会主义是不是好，要看事实，要看中国人民的判断，而不是看那些戴着有色眼镜的人的主观臆断。中国共产党人和中国人民完全有信心为人类对更好社会制度的探索提供中国方案。

过去、现在和未来，中国特色社会主义政治制度都深深扎根于、并将继续扎根于中国的社会土壤。

现实是最好的土壤。全面深化改革，带着道路自信、理论自信、制度自信、文化自信，从脚下的大地再出发，沿着中国道路，去讲述一个伟大、生动的中国故事。

2013年11月12日，党的十八届三中全会通过了《中共中央关于全面深化改革若干重大问题的决定》，明确提出，紧紧围绕坚持党的领导、人民当家作主、依法治国有机统一深化政治体制改革。

党的领导是人民当家作主和依法治国的根本保证，人民当家作主是社会主义民主政治的本质要求，依法治国是党领导人民治理国家的基本方略。

千锤百炼，方能成钢。

面对复杂纷纭的国内外形势，改革，是社会主义制度自我完善和发展的必然选择。

"办好中国的事情，关键在党。"党的十八大以来，中共中央总书记习近平不断强调这个被历史和现实反复证明的重大判断。

960多万平方公里的辽阔土地、13亿多人的世界第一人口大国，发展极不平衡。

带领这样一个大国跨过关键的历史关口，有效应对重大风险挑战，犹如在浩瀚大海中劈浪前行，掌舵人至关重要。

既能切实保障人民当家作主的权利,又能最大限度地集中社会资源、提高国家效率,中国特色社会主义制度的最大优势是中国共产党领导。

剑桥大学政治与国际研究系高级研究员　马丁·雅克:

共产党从各种传统社会中汲取经验并将之进行深入的现代化改革,因此使之可以被广泛接受。中国共产党是世界上最成功的政党。我认为其它政体,比如西方,他们需要思考的一个问题就是,到底要向中国学习什么治国经验。

从"两个一百年"奋斗目标的提出到中国梦的引领,从"五位一体"总体布局到"四个全面"战略布局,以习近平同志为核心的党中央,为中国的未来绘就了发展之路。

中共中央政策研究室原副主任　郑新立:

只有发挥党的领导的坚强作用,把我们党治理好、建设好,所有这些改革才能够推动,我们改革发展才能够健康地向前发展。

党的十八大以来,坚持党的领导,特别是坚持党中央集中统一领导,从根本上保证了深化政治领域改革的正确方向。始终坚持把有利于加强党的领导、巩固党的执政地位和执政基础作为出发点和落脚点,在涉及道路、理论、制度等根本性问题和大是大非面前立场坚定、旗帜鲜明,不断推动政治体制改革向纵深发展。

中央国家安全委员会、中央全面深化改革领导小组、中央网络安全和信息化领导小组、中央军委深化国防和军队改革领导小组相继成立，加强党中央对党和国家事业全局中重要工作的直接领导力度和统筹协调能力，提高了决策和执行机制的权威性和效能。

从2015年起，每年1月，中共中央政治局常务委员会听取全国人大常委会、国务院、全国政协、最高人民法院、最高人民检察院党组工作汇报，听取中央书记处工作报告。这已成为实现党中央集中统一领导的制度安排。

此后，中央相继审议通过了《中国共产党党组工作条例（试行）》、《中国共产党地方委员会工作条例》等，规范各级党政主要领导干部职责权限、党政部门及内设机构权力和职能等，为党发挥总揽全局、协调各方的领导核心作用提供了坚强的组织制度保障。

中国共产党的领导是中国特色社会主义最本质的特征。坚持党的领导，是全面深化改革这一当代中国最广泛、最深刻社会变革取得成功的根本保证。

如果说，坚持党的领导，让中国这艘巨轮在驶向复兴彼岸之时有了坚定而正确的掌舵人，那么人民当家作主，就是巨轮航行的力量之源。

发展社会主义民主政治，必须以保证人民当家作主为根本，坚持和完善人民代表大会制度、中国共产党领导的多党合作和政治协商制度、民族区域自治制度以及基层群众自治制度，更加注重健全民主制度、丰富民主形式，从各层次各领域扩大公民有序政治参与，充分发挥我国社会主义政治制度优越性。这是全面深化改革对加强社会主义民主政治制度建设提出的总目标。

推动人民代表大会制度的与时俱进，就是时代给出的一个新命题，也是党对于群众现实需求的回应。

全国人大常委会法制工作委员会主任　沈春耀：

在新的情况下，老百姓民主、法治、维权、政治参与的积极性和能力水平都提高了。那你这个人民代表大会制度，立法工作、监督工作、代表工作，就要适应这个新的情况的变化。

从2013年起，历时两年，全国人大常委会办事机构的7个调研组对全国31个省（区、市）的县乡人大工作和建设情况展开全面调研。

调研中发现，代表选举工作不规范、人大会议质量不高、代表联系群众的形式和渠道不便利、代表身份失真等，在基层时有发生。

县乡两级人大是基层国家权力机关，是国家政权的重要基础。县乡两级人大代表占我国五级人大代表总数的95%。而县乡人大又直接面对基层群众，工作成效直接影响群众对党和国家的信任度。

2015年6月，中共中央首次以文件的形式转发了《关于加强县乡人大工作和建设的若干意见》。

在这份文件中，就提出了"密切人大代表同人民群众的联系、探索建立代表履职激励机制"等具体措施。这为各地积极开展县乡人大建设指明了方向。

在江苏睢宁县，每个人大代表手里，都有这样一本"民情日记"。人大代表周莲萍的日记本里，就记满了她走访选区选民了解到的民情民意。

村民：

现在大沟里没有水，湖里面都没法抽，所以造成水稻推迟，到现在没有栽下去。这事儿得抓紧解决，实实在在这是困难。

每周一次的走访，周莲萍记录下的，是来自群众最真实的心声。而这背后是一整套的机制，保障问题落到实处：代表们根据"民情日记"提出的意见建议，通过人大提交给相关政府部门，人大要跟踪督办反馈结果；对于那些久拖不办、推诿扯皮的，人大还会进行问责。这让周莲萍的履职积极性更高了。

江苏省徐州市睢宁县人大代表　周莲萍：

每当我们选区的选民，他们反映的一些问题，或者一些意见以及建议，通过我的努力，得到了有效解决以后，我就心里面特别有一种成就感，觉得非常踏实。

现在，"民情日记"已经成为人大代表履职常态化的一个重要载体。县人大常委会每个月、每个季度都要检查"民情日记"的记录情况；到了年底，代表们要回到选区向选民们述职，日记本就是一个重要的考核依据。

如今，全国的县乡人大建设正呈现出崭新局面：一线基层代表比例大幅提升；遍布于乡镇和街道的"代表之家"成为人大代表联系群众的纽带；很多地方为代表建起了"履职档案"，来督促代表积极履职。人大代表为人民代言的作用不断强化。

对"一府两院"依法实施监督，是宪法赋予人民代表大会的权力，也是民主政治的集中体现。专题询问就是一个重要的监督渠道。改革，让这个监督渠道得到有力加强。

全国人大常委会委员　冯淑萍：

有部分审计了，有一部分没有审计，汇总起来的东西，我们有理由就怀疑它的真实性和完整性。怎么解决这个问题？

就像一场考试，"考官"是全国人大常委会组成人员，应考的是国务院有关部门的负责人。

全国人大常委会委员　姒建敏：

我想问的问题是，我们目前的食品安全标准体系与习总书记提出的"最严谨的标准"还有哪些差距？

一年多场次的专题询问，围绕百姓生活、经济社会热点，提问尖锐，直指关键。会后，针对询问的问题，应询的国务院部门必须形成落实整改意见报告全国人大常委会。

2014年，党中央审议通过了《关于改进完善专题询问工作的若干意见》，明确要求每年安排国务院领导同志向全国人大常委会作专项工作报告，到会听取审议意见、回答询问。专题询问更加规范化、机制化和常态化。

如今，从中央到地方，专题询问已经成为人大盘活监督作用的一个重要途径，问出了人大担当，答明了政府责任。

在创新与实践中，人民代表大会制度不断与时俱进。

加强全口径预决算审查和监督，进一步健全人大讨论、决定重大事项制度，完善全国人大及其常委会宪法监督制度。人民通过人大行使国家权力的制度化保障更加完善。

人民当家作主的内涵，也在全面深化改革中升华。

习近平总书记：

古今中外的实践都表明，保证和支持人民当家作主，通过依法选举、让人民的代表来参与国家生活和社会生活的管理是十分重要的，通过选举以外的制度和方式让人民参与国家生活和社会生活的管理也是十分重要的。人民只有投票的权利而没有广泛参与的权利，人民只有在投票时被唤醒、投票后就进入休眠期，这样的民主是形式主义的。

选举之外，以"协商"的方式来调和社会矛盾、求同存异、扩大共识，成为深化政治体制改革的重要内容。

2012年，党的十八大报告提出，"社会主义协商民主是我国人民民主的重要形式"。"协商民主"首次出现在党的代表大会文件中，为深化政治体制改革写下浓重一笔。

中国社会科学院政治学研究所所长　房宁：

把这样一个探索取得的这样一个重要的认识和经验，也就是发展中国民主的基本路径和策略，由党的代表大会文件的形式给它确定下来，也就是在社会主义的初级阶段，在现阶段我们要以发展协商民主作为民主的重点。

党的十八届三中全会进一步将"协商民主"写入全面深化改革的方案之中。

2015年，中共中央印发《关于加强社会主义协商民主建设的意见》，政党协商、人大协商、政府协商、政协协商、人民团体协商、基层协商和社会组织协商,七种协商民主渠道,从顶层设计的高度,系统谋划了协商民主的发展路径。

"每有大事,必相咨访",政党协商是中国共产党提高执政能力的重要途径。

2015年,党中央颁布的《中国共产党统一战线工作条例(试行)》,把"参加中国共产党领导的政治协商"确定为民主党派的基本职能,并对政党协商的内容、形式和保障机制作出了规定。统一战线在协商民主中的重要作用,在全面深化改革中得以强化。

作为协商民主的专门协商机构,政协协商在改革中被注入更多时代新意。

这是全国政协的第63次双周协商座谈会。从2013年10月22日起,每隔一周的周四,这样的会议都会准时举行。这一天的主题,是优化电子商务监管。

参会代表:

建议国家进一步发挥我们在平台经济上已经取得的先发优势,降低市场准入门槛,鼓励更多的创业者、小微企业,依托平台发展。

2013年,作为落实中共十八大精神、推进"协商民主"的一项制度建设和创新,双周座谈会在中断了近半个世纪后得以恢复。重启后的双周座谈会,名称中多了"协商"二字。

两字之差,含义不同。

全国政协办公厅研究室主任　舒启明：

它不是简单的一个名称变化。在继承已有工作形式的基础上，把党中央关于协商民主的要求，这些元素给它嵌入进去，这样就成了一种重要的协商平台。最终把改革的成果，及时用制度的形式给它固定下来。

全面深化改革起于顶层设计，达于广袤乡野。生长于城乡社区的基层协商，为发展基层民主探索着新路径。

在广东增城，下围村的治理纷扰多年。财务管理混乱，村务由少数干部说了算。上访大村、问题大村，是它贴了十几年的标签，也让它错过了一轮又一轮的发展机遇，投资环境和人居环境一落千丈。

城乡社区是社会治理的基本单元。群众的实际困难、矛盾纠纷，多数要在这个基本单元里解决。

2015年中央出台《关于加强城乡社区协商的意见》，对于协商的主体、形式和程序等都作出了具体规范，这让基层协商有了具体的"操作指南"。用群众习惯的方式来解决群众身边的问题，城乡社区协商正逐步上升为城乡社区的基本工作制度。

下围村也由此找到了历史痼疾的解困之路。

在区、镇党委的支持下，一套精心制定的议事制度在下围村诞生。村中事务，要通过村民代表大会来商议。

下围村村委会主任　郭庆东：

所有（参加会议的）人员他都有发言的权利，每个人最少有8分钟的发言时间给你，充分表达你的个人的意见。

每一次的表决议题和内容，都会提前通过村里的政务微信平台直接推送给每一个村民。整个议事过程，同样通过微信平台实时直播。即便在外地打工经商的村民，依然可以随时了解本村民主议事的动态。

民主商议、一事一议，协商带来了发展效率，下围村集体经济收入在几年间大幅提升，上访大村和问题大村转变为村民自治的模范村。

协商，让一个村落实现了由"乱"到"治"的华丽转身。

在推进多种协商渠道协商力度的同时，全面深化改革还注重健全决策咨询机制、意见征集和反馈机制等，让民意在政府决策之中显现更多权重。

中国特色新型智库是党和政府科学民主依法决策的重要支撑。

中国社会科学院国家金融与发展实验室理事长　李扬：

我们党绝对注重所有的事情，都必须事前、事中、事后得到社会广泛的讨论，这样的话能够集思广益，使决策更加切合实际，同时也使得政策能够很好地落实。全面深化改革以来，智库建设进一步地体制化和机制化，成为国家治理体系中不可或缺的部分。智库的发展成为提升国家治理能力的一个关键环节。

2014年，中央深改领导小组第六次会议审议了《关于加强中国特色新型智库建设的意见》。一年后，国家高端智库建设试点工作启动，25家国家高端智库成为首批试点单位，为治国理政凝聚最广泛的力量。

深化群团改革被认为是政治领域又一项旨在固本谋远的重要改革。

2015年7月，中共中央专门为群团工作召开会议，这在党史上还是第一次。在这次会议上，中共中央总书记习近平明确指出了群团工作存在的诸多问题。

习近平总书记：

群团组织中存在的问题，实质是脱离群众。这些问题的存在，影响了群团组织履行职责，降低了群团组织对群众的动员力、号召力、影响力，导致群团组织在群众心目中分量下降，制约党的群团工作健康发展，必须下决心进行纠正。必须用改革创新的精神来推动。

工会、共青团、妇联等群团组织是党和政府联系人民群众的桥梁和纽带。然而现实中，无论是领导体制、还是工作方法，都逐渐与党政机关趋同，也和要联系的群众渐行渐远。

群团改革正是要让它们接通与人民群众紧密联系的这根"地线"。

2015年11月，在中央深改领导小组第十八次会议上，全国总工会、上海市和重庆市群团改革试点方案通过审议。

全国总工会的改革也就此开启。第一刀，就开向了自己。机构精简25%，精简下来的编制补充到任务繁重、力量薄弱的县级工会。全国工会经费全年收入的95%要留在地方和基层工会。

在领导机构中，职工代表的比例提高了。许多一线技工、劳模、农民工中的优秀代表走上工会领导岗位，他们也接通了工会和一线职工的联系。

现在，工会组织的服务实效明显提升。去年一年，全国总工会直接指导地方工会办结职工法律援助案件近 1600 件，为职工挽回经济损失 1.1 亿元，为 820 万困难户筹集送温暖资金 36.9 亿元，新增加农民工会员 1500 万人，帮助追回被拖欠工资近 230 亿元。

在群团改革试点的地区和组织，改革，正在让群团平台焕发出新的生机，政治性、先进性、群众性不断强化。

在党的领导下，群团改革试点为推进国家治理现代化打开了新的思路。

当中国这艘巨轮向着复兴彼岸航行时，要靠依法治国来护航。

2014 年 10 月底召开的党的十八届四中全会，通过了《中共中央关于全面推进依法治国若干重大问题的决定》。这是中国共产党历史上，第一次专门研究法治建设的中央全会。

开幕当天，美国《国际纽约时报》这样评价："中国向着现代法治体系迈进的种种变革并不是'做样子'，而是反映了中共领导层认识到推进法治的重要性。每一次改革都为实现改变和开展新的改革提供了机会。"

依法治国，是中国共产党的庄严选择。

党的领导是建设中国特色社会主义法治体系、建设社会主义法治国家的政治保证。

党要把自己的路线、方针、政策通过法定程序转化为国家意志，成为全国人民共同遵守的法律规范，实现党的主张和人民意志的有机统一。

完善党对立法工作中重大问题决策的程序。凡立法涉及重大体制和重大政策调整的，必须报党中央讨论决定。党中央向全国人大提出宪法修改建议，依照宪法规定的程序进行宪法修改。法律制定和修改的重大问题由全国人大常委会党组向党中央报告。

在杭州，开放近半年的"五四宪法"历史资料陈列馆，迎来了又一批宣誓人。

宣誓人：

我宣誓：忠于中华人民共和国宪法，……，忠于祖国，忠于人民……

手按宪法，当铿锵有力的誓词说出来的那一刻，宪法精神已然铭刻于心。

从十八届四中全会之后，刚刚建立的宪法宣誓制度，在维护宪法权威的同时，其象征意义更加深远，意在突出依法治国的路径选择，重在凸显崇尚法治的价值追求。

当我们站在新一轮改革的起点上，如何处理改革和立法的复杂关系，尤显重要。

上海，外滩向东，蜿蜒的浦东海岸线。如今，这里已经成为中国经济发展的一片热土。这个占地120平方公里的区域，是中国新一轮改革开放的重要标志。

全国人大法律委员会副主任委员　李适时：

从摸着石头过河到先立后破，在法治的轨道上来推进改革。这个道理就在于最大限度地节约改革的成本，同时也能够分担改革的风险。

2013年8月，全国人大常委会授权国务院在上海自贸试验区暂时调整有关行政审批。上海自贸试验区建设正式启动。而随后确立的天津、广东、福建三地自贸试验区，也都先经过全国人大常委会授权。

在2014年中央深改领导小组第二次会议上，习近平总书记第一次明确提出了"重大改革于法有据"的要求。注重运用法治思维和法治方式推进改革，实现立法和改革决策相衔接，立法主动适应改革，成为全面深化改革的鲜明品格。

而中国立法改革的大幕就此拉开。

全国人大常委会副秘书长　信春鹰：

通过改革我们会为法治的完善和发展带来很多新的内容，那么另一方面我们通过法治的保障，使改革更有权威，更有力量，更能够引领这个社会的发展和进步。

2015年3月15日，十二届全国人大三次会议的最后一天，大会高票表决通过了对立法法的修改。

党的十八大以来，立法步伐不断加快。十二届全国人大及其常委会共通过法律、法律解释和有关法律问题的决定100件。党的主张和人民的意愿通过法定程序转化为国家意志。

日益完善的法律法规体系把权力关进制度的笼子里，正是全面依法治国的关键所在。

习近平总书记：

权力是一把双刃剑，在法治轨道上行使可以造福人民，在法律之外行使则必然祸害国家和人民。我们说要把权力关进制度的笼子里，就是要依法设定权力、规范权力、制约权力、监督权力。

2016年岁末，国家发展改革委公布了对一批行政垄断案件的处理结果。15个省市部门，因为涉嫌违规招标、强制定价等问题被公告处理。垄断背后，是一些超越了法律界限的"红头文件"在"撑腰"。

在法律框架下深化推进政治体制改革，一个极为重要的方向就是依法划定权力行使范围。党的十八届四中全会决定要求，加强备案审查制度和能力建设，把所有规范性文件纳入备案审查范围，依法撤销和纠正违宪违法的规范性文件，禁止地方制发带有立法性质的文件。

在中国，政府对于权力的自我革命，不断升级。

2015年底，《法治政府建设实施纲要（2015—2020）》出台。这是党中央、国务院首次就法治政府建设发文。在这张法治政府建设的总蓝图上，进一步明确通过大力推行权力清单、责任清单、负面清单制度等来依法全面履行政府职能，让权力更为有法可依。

而政务公开，也是建设法治政府的必然要求。

中国政法大学副校长　马怀德：

这是很大的一个挑战。就是社会公众这种民主法治意识的这种提升，实际上是倒逼了政府的依法行政，使得政府更加注重要规范自己的行为。

2016年中央深改领导小组第二十次会议上，习近平总书记强调，"政务公开是法治政府建设的一项重要制度，要以制度安排把政务公开贯穿政务运行全过程，权力运行到哪里，公开和监督就延伸到哪里。"就在这次会议上，审议通过了《关于全面推进政务公开工作的意见》。

今天，政务公开让公众更大程度参与政策制定、执行和监督。

将权力关进制度的笼子，在阳光下运行，政府要学会在法治的轨道上规范自己的行为。然而这只是改革的起点。政府的权力如何才能真正用好、让百姓有获得感？

在浙江省，群众和企业到政府办事"最多跑一次"的改革开始启动。它要打通的，就是改革的"最后一公里"。

作为试点，衢州市行政中心先行破题。

公积金贷款是行政中心里一项最复杂的业务。过去，群众要跑七个部门开证明，往返十次，才能完成贷款审批。现在，改革给所有部门提出了明确的目标：一个窗口，一次办结。

浙江省衢州市行政服务中心主任　田俊：

现在就是提出这个目标，已经向社会承诺了。那么你要怎么跑？所以就是倒逼了部门，你必须要梳理自己的流程，你必须要去进行自己的事项这一块的标准化管理。

窗口背后,压力开始层层传导。所有的办事流程都公开,37个部门,涉及833个事项。为了减时间、减环节,政府向自己开刀。

浙江省衢州市公积金中心副主任　刘建平：

我们首先革自己的命,把所有的事项权限全部下沉到一线去,把它的任务分解下去。

权力最大程度下放到了窗口,要想真正"最多跑一次",原本各自为政的数据信息必须打破壁垒,实现互联互通。而这并非易事。

浙江省衢州市公积金中心审批处处长　吴海鹰：

它原来的信息资源是它独立拥有的一个资源,那现在它把这个资源开放给你们,相对来说就可能会影响到它有一些的权力。但是这个观念慢慢在变的。这个其实也是我们政府的一个思想的开拓。

在后台的核心地带,没有部门界限,所有数据共享,所有审批并联进行。

浙江省机构编制委员会办公室主任　鞠建林：

这样一个改革的背后,是一个巨大的化学反应。背后的故事一定是政府自身改革。就是以人民为中心,以老百姓、以企业办事便利为目标。

现在,进入这个大厅的所有业务,都能够实现"最多跑一次"。在这里积累的改革经验,已经开始向全省复制推行。

在依法准确办事的基础上提高效率，用群众获得感丈量政府改革成效，在全面深化改革的进程中，一个科学高效、权力运行规范、责任主体明确的法治政府正在形成中。

党的十八大以来，全面深化改革让当今中国的政治体制进入制度化、规范化、程序化的历史新阶段。

改革，将保证一个发展中大国的长治久兴。

时序更替，梦想前行。

今天，我们面临着比以往任何时刻都更加复杂的现实，中国道路也仍然处于成长、成熟和改革的过程中。

以习近平同志为核心的党中央以巨大的政治勇气，沿着民主法治的道路，坚定地进行改革，完善和发展中国特色社会主义制度，推进国家治理体系和治理能力现代化。

在党的领导下，一幅用民主与法治勾勒的治理图景，越来越清晰地呈现在世人面前，引领我们坚定不移地驶向中华民族伟大复兴的彼岸。

第四集

维护社会公平正义

第四集《维护社会公平正义》完整视频

公平正义，是雕刻在我们内心深处的价值坐标。它是中国共产党带领中国人民矢志不渝的崇高追求，是五千年中华文明积淀传承的精神基因，是今天中国共产党人治国理政的一贯主张。

作为社会主义核心价值观的重要组成部分，公平正义是人民群众获得安全感和幸福感的重要保障。

在一个现代文明国家里，司法就是守护公平正义的最后一道防线。在老百姓的心里，法就是天。

如果这道防线失守，受伤的将不只是公正。

曾经，在一些司法案件中，钱与法的交易，权与法的寻租，使个别司法裁判异化为正义污点。

公平正义如同空气与水。它不能缺席、不应迟到。

习近平总书记：

这些问题如果不抓紧解决，也会严重影响全面依法治国的进程，严重影响社会的公平正义，严重影响党和政府的形象。

党的十八大以来，司法改革蹄疾步稳。十八届三中全会将司法改革确定为全面深化改革的重点领域之一，"确保依法独立公正行使审判权检察权"，"健全司法权力运行机制"，"完善人权司法保障制度"，面对亿万双期盼公正的眼睛，以习近平同志为核心的党中央对人民作出了庄严承诺——"努力让人民群众在每一个司法案件中感受到公平正义"。

公平正义正行进在改革路上，也行进在我们每一个人的身边。

2014年2月，早春的北京迎来了又一个吐绿的时节，万物复苏中萌发出的每一棵新芽，都会给人带来一丝小小的欣喜。

就在这个早春二月，新一轮司法改革按下了启动键。中央全面深化改革领导小组召开第二次会议，习近平总书记在会上指出，要深化司法体制改革，促进社会公平正义。

保证公正司法、加强政法队伍、维护人民权益、提高司法公信，四个有力的动词，托起了改革的核心目标。

改革的鼓声敲响。

让人眼前一亮的是，新一轮司法改革的统筹部署被提高到了中央层级。

中央司法体制改革领导小组办公室副主任　姜伟：

对这一轮司法体制改革，党中央高度重视，统一部署，顶层设计。一些重大的司法改革举措都是由习近平总书记为组长的全面深化改革领导小组来审定。从这一轮司法改革的领导层级、推进力度、配套举措、科技含量来看，十八大以来的司法改革不同以往。

内蒙古高级人民法院原常务副院长　赵建平：

我代表自治区高级人民法院，向你们表示真诚的道歉，对不起。

2014年12月，内蒙古呼格吉勒图强奸杀人案再审宣判，沉冤18年的呼格吉勒图被宣判无罪，公检法27名办案人员被追责。

然而，这份追责名单上的人员，没有一个被追究法律责任。这是因为，长期以来，司法权力运行机制是行政化的，办案子的法官、检察官对案件没有决定权，而是要报上级领导层层审批、集体决定。

中国人民大学法学院教授　陈卫东：

所以发生错案的话不知道是谁的责任。而且法官遇到疑难案件，为了推卸责任，他也不作出决定，他把案件往上交。

最高人民法院副院长　李少平：

这就导致责任不清。假如这个案子出问题了，那么是由审理者负责呢，还是由审批者负责呢？

2015年3月24日下午，十八届中央政治局进行了第二十一次集体学习。习近平总书记在主持学习时，给出了推进司法改革的关键一招——"要紧紧牵住司法责任制这个牛鼻子"。

司法责任制，短短五个字，直指要害。针对"审者不判、判者不审"的顽疾，司法责任制改革对症下药，明确要求法官、检察官要对案件质量终身负责。

落实司法责任制，就是要让审理者裁判，由裁判者负责。

中国法学会副会长　张文显：

"司法"最大的特点，也可以说是一个规律性的东西，就是亲历性。所以司法责任制，说到底，它最大的（改变）就是去行政化，让法官、检察官真正成为司法工作的主体。

司法责任制落实后，办案法官、检察官将独立判案，独立签发法律文书。也就是说，法官自己办理的案件，怎么判，自己就能说了算。谁办案、谁有权；谁用权、谁负责。案子判得对不对，是否公正，考验的就是法官个人或合议庭本身。

放权不等于放任。那么，谁能够经受这样的考验，担当这样的责任呢？

最高人民法院副院长　李少平：

这个责任不是随便什么人都可以担当的，它是要有政治上的要求，要有品格上的要求，要有职业上的要求。

最高人民法院司法改革办公室主任　胡仕浩：

就是我们对法官要实行员额制的管理，要把我们现有的一些不适合独立承担审判责任的法官，让他从事审判辅助事务或者其它的工作。

汕头市中级人民法院法官　林立：

曾曼，你现在是副科级吗？副科级，到了正科级了？

林立和他的三位同事曾经都是汕头中院的法官，但一场员额制改革，改变了他们的职业发展道路。如今，只有林立一个人进入了员额，其他人已经不具有法官的身份。

员额制改革，就是要分类定岗，择优入额。按照中央制定的改革方案，入额法官、检察官不能超过中央政法专项编制的39%。这也意味着一大批法官、检察官在改革后不能入额，必须调整到其它岗位。

一句话——减人不是目的，目的是要实现法官、检察官队伍的正规化、专业化和职业化。

汕头中院的员额竞争非常激烈，每四个法官中，只有一个能入额。

员额考试过后，40岁的黄晓忠名落孙山，他选择去执行局成为了一名执行员。32岁的曾曼由于年龄原因，审判经验不足，没有资格参加入额考试，她选择做一名法官助理。曾经穿着法袍坐在审判台上，而如今却坐在台下的助理席位上，曾曼用了很长时间，才慢慢调整好了自己的心态。

汕头市中级人民法院法官助理　曾曼：

可能我比较不在乎别人怎么看我，我就是想（以后）做一名法官。我觉得其实不是说员额制之后没有机会了。而是说你的时间可能会更长一点。你这个时间段用来积累。只要你能够积累，其实对以后是会有更好的帮助的。

2014年1月，习近平总书记在中央政法工作会上，用五个"过硬"概括了司法人员应具备的素质：政治过硬、业务过硬、责任过硬、纪律过硬、作风过硬。

员额制就是要选出符合这五个"过硬"的司法人员。只有有了过硬的队伍，司法责任制才能落地生根。

员额制改革完成后，林立成为了这支队伍中的一员，责任也落在了他的身上。如今，林立自己独立签发法律文书，不需要再报庭长、院长审批。这样一个签字看上去简单，但落笔之后的责任和压力是他人体会不到的。

汕头市中级人民法院法官　林立：

落实司法责任制之后，最直接的感受，就是权力大了，责任也大了。作为员额法官，工作的积极性、主动性更强了。

中国政法大学诉讼法学研究院教授　顾永忠：

这件事情做错了、做坏了，你要承担责任，这就是最大的制约。因为他自发地要对自己约束了。因为他知道，我办错了，后面要承担后果的。

习近平总书记之所以把司法责任制称作"牛鼻子"，是因为它牵一发而动全身。司法责任制落实后，有些地方的司法机关发现，以前困扰多年的难题，随着司法责任制的推进也迎来了排难解困的机遇。

公主岭市人民检察院检察官　孙权：

犯罪事实清楚，证据确实充分，应当以危险驾驶罪追究其刑事责任。

以公诉人的身份站在法庭之上，对于检察官孙权来说，既熟悉又陌生。熟悉是因为出庭支持公诉是他干了十多年的老本行，陌生是因为他曾离开检察官一线工作已经三年。

公主岭市人民检察院检察官　孙权：

回到这个业务部门吧，多多少少有点兴奋，这个工作我自己熟悉。

几年前，孙权从一名检察官被提拔成办公室主任，从而离开了办案一线。在吉林检察系统，曾经"官多兵少"。孙权所在的公主岭市检察院在改革前共有78人在职，其中，真正在一线直接办案的只有18人。

吉林省人民检察院检察长　杨克勤：

机构多了，领导就要多。领导多了以后就在忙开会，忙指导，忙协调，忙应酬。做了很多无效的劳动，真正在一线办案的人相对不足。

司法责任制改革的推进，给内设机构改革提供了千载难逢的机会。办案不需要再进行层层审批，很多机构自然没有了存在的必要。2015年5月，吉林省检察院从以前的34个牌子变成了现在的10个。

改革改掉了冗余的机构，清扫着人浮于事的作风。

哪里有病灶，哪里就是改革下刀子的切口。人情案、金钱案、关系案，这曾是司法机关内部的顽疾，破坏公平正义的"杀手"。习近平总书记明确提出，"对司法腐败，要零容忍，坚决清除害群之马"。

习近平总书记：

实际上那些错误执行者，他也是有一本账的，这个账是记在那儿的。一旦他出事了，这个账全给你拉出来了。别看你今天闹得欢，小心今后拉清单，这都得应验的。不要干这种事情。头上三尺有神明，一定要有敬畏之心。

2015年2月,中央深改领导小组第十次会议通过《关于领导干部干预司法活动、插手具体案件处理的记录、通报和责任追究规定》。这是防止以权力干预司法的"高压线",也是保障法官、检察官独立运行司法权力的"防火墙"。

最高人民法院副院长　李少平:

当你给他讲清楚,我们是有规定的,中央是有规定的,那么如果你要打这个招呼,我们是要记录在案的。起码我接触的这个层次,没有任何一个要坚持、要继续给你打这个招呼的。

有责先有权,用权必担责。

司法责任制落实后,权力到位,责任到人,牵住"牛鼻子"的目的是以责任倒逼公正、保障公平。2016年,全国法院一审服判息诉率创纪录地达到了89.2%。

案子判出公道,正义自在人心。

中国政法大学副校长　马怀德:

这些改革包括我们说综合性的改革,它的价值取向或者追求,就是要确保司法的公正,确保法院审理案件、检察院办理案件的质量,让老百姓能够通过司法责任制的改革,感受到每个案件的公平和正义。

为了使司法摆脱地方行政权力的干扰,新一轮司法改革还推动了省以下地方法院、检察院人财物统一管理改革,确保基层法院、检察院超然立身于地方利益之外。

而同步推行的司法人员职业保障制度,又解决了法官、检察官的晋升和待遇问题,保证了最优秀的办案人员能够安心留在办案一线，为促进社会公平正义保驾护航。

滚石上山、立柱架梁。

以员额制为抓手的司法人员分类管理、司法责任制、司法人员职业保障、省以下地方法院检察院人财物统一管理，这四项基础性、制度性改革措施，在司法责任制这块基石之上，为法治中国夯筑起了更加符合司法规律的体制框架。

30年前，我国的西南边陲小镇，15岁的少年卢荣新，在自己的卧室门上写下了几个字——"吉祥红（鸿）运"。然而，40岁那年，命运却把他拖入了深渊。

卢荣新：

三天三夜都不停地在审讯，手上这样铐的。要喝水我求他们求多了，他们就（拿）那个矿泉水打开，随便滴两三滴给你。实在是熬不住了，所以就承认了。

2012年9月，卢荣新被关进看守所，被迫承认自己是一起强奸杀人案的凶手。之后，等待他的判决结果是死刑，缓期两年执行。判决书上写明：根据卢荣新的有罪供述和DNA鉴定等物证，足以认定卢荣新就是凶手。

一般来说，DNA鉴定就是铁证。卢荣新要想洗清罪名，难如登天。2014年6月，拿到判决书后，卢荣新提出上诉，但内心充满绝望。

当时的他并不知道，几千里之外的北京，习近平总书记直接领导推动的一场深刻变革，将会改写他的命运。

习近平总书记：

要懂得"100-1=0"的道理。一个错案的负面影响，足以摧毁九十九个公平裁判积累起来的良好形象。执法司法中万分之一的失误，对当事人就是百分之百的伤害。

2014年10月，在党的十八届四中全会上，习近平总书记就《中共中央关于全面推进依法治国若干重大问题的决定》作出说明，明确提出推进以审判为中心的诉讼制度改革。

中国政法大学诉讼法学研究院院长　卞建林：

实际上在以审判为中心的诉讼制度改革前，呈现出了一种侦查为中心的样态。就是"公安做饭，检察院端饭，法院吃饭"。这个饭端上来以后，夹生了，糊了，你不吃不行。

以审判为中心的刑事诉讼制度改革推出之后，法院对侦查机关提供的证据不能直接采信，而是要把证据拿到法庭上通过质证的方式，来确定它的合法性与客观性。程序上不合法或来源不明的证据，一律被列为非法证据，予以排除。

浙江大学光华法学院教授　王敏远：

以审判为中心的诉讼制度改革，就是要求庭审实质化。你当时到底怎么做的鉴定，你这个凶器到底是哪儿得来的？如果得来的途径不对，那么你就不能作为证据。采用刑讯逼供等非法手段获得的言词证据，应当予以排除。

2016年6月27日，习近平总书记主持召开中央深改领导小组第二十五次会议，审议通过了《关于推进以审判为中心的刑事诉讼制度改革的意见》，这标志着以审判为中心的刑事诉讼制度改革全面启动。

可以说，这场变革推动的速度，就是和生命赛跑的速度。幸运的是，已经关押在看守所四年之久的卢荣新赶上了这一场变革。

2016年，卢荣新的一纸上诉状摆到了云南高院法官汤宁的面前。

汤宁发现，卢荣新案存在诸多疑点。作为一起强奸杀人案，警方在被害人身上没有提取到卢荣新的任何生物痕迹，认定卢荣新有罪的主要证据是遗留在现场的一把锄头。这把锄头被认定是凶手掩埋尸体的工具，有鉴定书证明在这把锄头上检验出了卢荣新的DNA。

这份给卢荣新定罪的最为关键的证据，放到法律的准绳下，却经不起推敲。

云南省高级人民法院法官　汤宁：

这把锄头是在案发现场的小河中提取到的。它（DNA）是一个水溶性的物质。在这种情况下能提取到DNA，就很让人感到有一些疑惑。

鉴定书上提供的锄头擦拭物基因图谱，与卢荣新的基因图谱几乎是严丝合缝。鉴定专家认为，在河水浸泡过的锄头上不可能提取到这样清晰的DNA图谱。

法官汤宁要求对锄头重新进行鉴定。公安部物证鉴定中心的结果是，这把锄头上没有卢荣新的DNA。

那么当时的DNA鉴定结果是怎样得出的呢？

云南省高级人民法院法官　汤宁：

我们从卷宗中发现，对于这个DNA的鉴定检材的提取，有最少三种以上不同的说法。最终是哪一种说法呢，都没有一个明确的结论。

由于警方一直没有给出合理解释，卢荣新案中的DNA证据，最终作为非法证据被排除。

随后，卢荣新案的定罪证据只剩下了口供。八份口供中，只有一份是有罪供述。然而，这份口供对应的同步录音录像，却只有画面，没有声音。这样的证据，按照规定，也作为非法证据被排除。

审判长：

原判认定卢荣新故意杀人强奸的事实不清，证据不足，不能认定卢荣新有罪，依法予以改判。

对于45岁的卢荣新来说，这一次蒙受冤屈让他失去了四年自由。"以审判为中心"，让他最终找回了清白，重归无罪之身。

党的十八大以来，全国司法系统依法纠正重大冤假错案34件，涉及54名当事人。

而司法改革环环相扣，在不断向纵深推进。以审判为中心的诉讼制度改革不仅对审判环节提出了要求，更促进了公安执法的规范化。今天，公安机关取证过程必须规范，这样才能在庭审时经得起检验。

2014年7月，浙江乐清人民法院在审理一起诈骗案件过程中，被告人尹贵当庭翻供，声称自己身上有伤，是受到了刑讯逼供才作出了有罪供述。

对此，主审法官要求办案民警陈晓庆出庭作证，说明情况。

浙江省乐清市民警　陈晓庆：

刚开始有一点蒙了，不知所措。侦查破案过程当中，是我们去讯问犯罪嫌疑人。在庭上的话，是我们要证明自己的清白，反而要被犯罪嫌疑人进行询问。

根据法院审理需要，侦查人员出庭证明结果真实性与过程合法性，这是以审判为中心的诉讼制度改革的重要内容之一。

浙江省乐清市民警　陈晓庆：

犯罪嫌疑人身上的伤，是在逃跑过程中被草丛划伤的。

抓捕录像表明，尹贵身上的伤，是在逃跑过程中，抗拒抓捕导致。法庭对尹贵所称遭到刑讯逼供的辩解不予采信。

浙江省乐清市民警　陈晓庆：

幸亏还有一个资料。如果没有这个资料，因为我们没法子作出一个正面的解释。

这件事让陈晓庆和同事们认识到执法记录仪的重要性，执法记录仪，对他们的执法行为，既是约束，又是保护。

2016年6月，公安部出台《公安机关现场执法视音频记录工作规定》，明确了公安民警6类执法现场应全程记录音视频，全国一线民警普遍配备了执法记录仪。

埋藏在这些记录仪摄像头背后的，就是两个字——公开。

阳光是最好的防腐剂。司法公开成为了诉讼制度改革中又一个重大举措。

党的十八大以来，全国司法系统大力推进审判公开、检务公开、警务公开、狱务公开。截止到今年2月，中国裁判文书网访问量突破62亿人次，成为了全球最大的裁判文书网。

以公开促公正，有力提升了司法公信力。

围绕"审判"这个中心，锚定诉讼制度的短板，认罪认罚从宽制度改革、完善权力运行和监督制约机制、推进案件繁简分流诉调对接，一系列改革措施从顶层陆续推向了基层。

法庭，作为最后一道防线上的最后一个关口，正在改革的"破"与"立"中，成为守护公正的一扇铁壁。

2015年3月25日，人们在电视上看到了这样一条消息，十八届中央政治局进行了第二十一次集体学习。习近平总书记在学习中提出，"司法体制改革必须为了人民、依靠人民、造福人民，司法体制改革成效如何，说一千道一万，要由人民来评判"。

这是以习近平同志为核心的党中央针对司法改革"为谁改"和"往哪儿改"，给出的定盘星。

早在2006年，时任浙江省委书记的习近平就提出建设法治浙江，他把法治浙江的核心价值追求定位为四个字——"法治为民"，老百姓关心什么，法治就要在哪里落脚。

从法治浙江到法治中国，公正司法、造福人民这一价值定位从未改变，一脉相承。

司法便民利民改革，与司法责任制改革、诉讼制度改革一起，构成了新一轮司法改革的"三驾马车"。便民利民，就要毫不含糊、实实在在地对准百姓心中的难点和痛点去改。

立案难，这曾是群众反映强烈的"头号难题"。因为难立案，很多老百姓遇到了矛盾纠纷，最先想到的不是找法，而是上访。

2015年，全国法院同时展开立案登记制改革。改革的要求很重要，也很简单——"有案必立、有诉必理"。

2015年5月4日，这是立案登记制实行后的第一个工作日。律师吕中旭拖着一个拉杆箱来到北京朝阳法院立案大厅。箱子里装的是积压了几年都立不上的案子，一共有208件。

法院当场全部立案受理。

北京汇都律师事务所律师　吕中旭：

来的时候也没想着说能把200多个案件都能立了，预期没那么大，想着二三十个可以立上也可以。

目前，北京朝阳法院平均每天立案500多起，平均用时十分钟。

立案群众：

很方便这个。进去以后拿号，拿完号以后排队，然后查完资料就可以立案了。

立案群众：

以前立案特别难，但是现在立案很容易。有案就立，有案就审，真是挺好的，我觉得挺正义的。

如今，在上海浦东法院，通过二维码就能自助立案。在福建、浙江，为方便群众打官司，全省范围内都实现了异地立案服务。

执行难，也是困扰百姓的司法"老大难"。因为执行问题，有些老百姓甚至把法院的裁判文书称为"盖着官印的白条"。而就在去年，一项政策的出台，让人们看到了希望。

49岁的河南省三门峡市建筑承包人老秦，承包了王某的建筑工程。没想到工程结算的时候，王某却开始打起了太极。到2008年，老秦一纸诉状将王某告上法庭，官司胜诉了，王某却拒不执行，老秦只能到法院申请强制执行。

申请执行人　老秦：

在官司没有结束之前，外边到处都欠着账，每年到春节要账的，干啥的，打电话赖家里坐着不走了。甚至还有更强硬点，还有野蛮点的。这日子确实不好过。

2016年，老秦在病床上接到法官的电话。难得一见的"老赖"代理人，竟然主动上门要求还款。

这让老秦又惊又喜。

这一年的6月，习近平总书记主持召开中央深改领导小组第二十五次会议，审议通过了《关于加快推进失信被执行人信用监督、警示和惩戒机制建设的意见》。惩治"老赖"的37项措施一出台，就被评价为有史以来规格最高、范围最广、惩戒最严的整治"老赖"措施。

这些措施成为了执行法官的杀手锏。法官将"老赖"王某列入了失信黑名单，限制其一切高消费活动。王某当时正在南极旅游，因为无法购买返程机票，被困在了南极。

这一次,"老赖"希望解决问题的心情,比申请人老秦还要急迫。经过协商,双方达成了执行和解协议,老秦终于拿到了十年前应得的177万工程款。

申请执行人　老秦:

从第一次起诉到现在,到执行结束八年多了。八年,你想,人一辈子工作时间,满打满算,不超过四十年。人生的五分之一就没了。

截至2016年底,全国已累计公布失信被执行人589万例。一大批"老赖"被限制乘飞机、坐高铁、住星级酒店、担任公职等。迫于压力,"老赖"们纷纷主动履行义务,执行难得到了有效缓解。

清水江是贵州省境内第二大江流,江水原本和它的名字一样清澈透明。然而近年来由于一些化工企业违法排放污水、废渣,清水江局部水域遭到污染。

眼看着江水一天天浑浊,住在江边的老百姓却束手无策。2015年,几位检察官的到来,给事态的发展带来了转机。

2015年7月1日开始推进的检察机关提起公益诉讼制度改革让检察院多了一个新身份:公益诉讼人。有了这个新身份,检察机关发现行政机关违法行使职权或者不作为的,可以提起公益诉讼,追究其法律责任。

最高人民检察院民事行政检察厅厅长　郑新俭:

通过提起诉讼的这样一个督促,有效地使行政机关能够意识到自己要依法行政,要维护国家和社会公共利益,要承担起这个责任。

2015年，贵州锦屏检察院在完成调查取证后，向锦屏县环保局发出了督查整改的检察建议。但两次检察建议发出后，县环保局仍未履行职责。于是，检察院一纸诉状将环保局告上了法庭。

福泉市人民法院法官：

被告锦屏县环保局怠于履行行政职权的行为违法。

法院判决后，锦屏县环保局立即开展了整治行动，同时也对全县达不到环保要求、不具备生产条件的企业，全部进行停产整顿或取缔。

村民：

水比较清澈，鱼比较多了。

村民：

这条清水江已经变清了，我们就安心了，群众的生活，其它都安心了。

人民陪审员　马仲兰：

原告的父母没有生活来源，这个有没有相应的证据？

66岁的马仲兰担任陪审员工作已经多年。退休之前，马仲兰是一名出版社的编辑，她在这个领域的专业知识和多年的生活经验，曾经给法官办案带来了很大帮助。

人民群众是司法改革的受益者，人民群众也是司法改革的参与者。

为了推进司法民主、促进司法公正，中央深改领导小组先后推出了人民陪审员制度改革和人民监督员制度改革，通过改革选任办法和扩大陪审案件、监督案件的范围，充分保障了人民群众对司法工作的知情权、参与权、表达权和监督权。

立善法于一国，则一国治。

2017年3月，《中华人民共和国民法总则》审议通过，它标志着中国民法典时代正式开篇。从《民法通则》到《民法总则》，这一字之变，承载的是几代人的夙愿。全面保护每一个公民的每一项合法权益，这是依法治国的时代强音庄严发出的百姓权利宣言。

党的十八大以来，司法改革追风踏浪，如今已经船到江心。不是小修小补，不怕伤筋动骨。这是一场广度、深度、难度远超以往的司法改革。

改革的成效要交给人民评判。司法改革三年来，"两高"工作报告在全国人大会议上赞成率不断攀升，2017年同时获得了91.83%的赞成率，双双创下了历史新高。这折射着民意的表决器，给出的是人民对公平正义的感受。

为什么这场波澜壮阔的司法体制改革能够取得历史足以铭记、老百姓十分有感的成效？

坚持党的领导，坚持问题导向，坚持司法规律，坚持为了人民、依靠人民、造福人民，正是这"四个坚持"，让公平正义的阳光照进人民心田，让老百姓看到了实实在在的改革成效。

今天的梦想，就是明天的未来。2017年5月3日，习近平总书记来到了中国政法大学。在五四青年节前夕，选择与政法大学的师生面对面交流，意味深长。

习近平总书记：

希望你们能够珍惜现在的学习时间，开足马力，好好学习，我对你们充满了期待。

在与中国政法大学师生和法学专家代表座谈时，习近平总书记用三个"事关"论述了中国法治建设的时代使命，"事关我们党执政兴国，事关人民幸福安康，事关党和国家事业发展"。

信仰法治、坚守法治，这是习近平总书记提出的要求。党的十八大以来，全面依法治国作为党的历史上第一个加强法治建设的专门决定，开启了中国法治的新时代与新高度。司法体制改革作为全面依法治国的重要组成部分，正与人民群众对公平正义的呼唤和声共振，与社会主义法治国家建设同步向前。

让法之所向，成为民之所盼。

在当下的中国，司法改革的每一个步伐，正如雕刻师手中的刻刀，将"公平正义"的信仰，深深地雕刻进时光的年轮，雕刻在人民群众的心中。

第五集

延续中华文脉

第五集《延续中华文脉》完整视频

破晓的晨曦，惊醒了杭州西湖一夜的安宁。

浙江美术馆，有如一颗智慧的明珠，镶嵌在西子湖畔。

从有巢氏仿鸟筑巢、构木为屋到具有中国气度、中国风格的浙江美术馆，中华文明的每一次驻足，总能惊艳四方。

从选址西子湖畔，到确立建筑风格，在时任浙江省委书记习近平同志的推动下，浙江美术馆修建完成。

中国美术学院院长　许江：

他说既然建在西湖边，就应该是中国的样式。那天我正好穿了一件对襟的中国式的衣服，他说，就像许江穿的这件衣服一样，一眼看上去是中国的。

文运与国运相牵，文脉同国脉相连。

中华文明是迄今为止唯一没有间断的文明。没有文明的继承和发展，就没有文化的弘扬和繁荣，就没有中国梦的实现。

在习近平总书记治国理政新理念新思想新战略中，"四个自信"的提出，具有特殊重要意义。他鲜明地指出，中国有坚定的道路自信、理论自信、制度自信，其本质是建立在五千多年文明传承基础上的文化自信。

传统文化、时代精神，

复兴之魂，深植其中。

流淌过五千年历史长河，进入新千年的第二个十年，中华文明屹立世界潮头，担负起凝聚民族复兴之魂的历史重任。以习近平同志为核心的党中央站在历史高度，回应时代关切，擎起改革这一最鲜明的旗帜，为中华文化前行指明方向。

巩固马克思主义在意识形态领域的指导地位，巩固全党全国人民团结奋斗的共同思想基础，是习近平总书记在新形势下对宣传思想文化工作提出的要求和布置的任务。

他指出，在继续大胆推进改革、推动文化事业全面繁荣和文化产业快速发展、建设社会主义文化强国的同时，把握好意识形态属性和产业属性、社会效益和经济效益的关系，始终坚持社会主义先进文化前进方向，始终把社会效益放在首位。无论改什么、怎么改，导向不能改，阵地不能丢。

2014年早春，习近平总书记主持召开中央深改领导小组第二次会议，审议并通过了《深化文化体制改革实施方案》。这是中央深改领导小组审议通过的第一个专项小组改革方案。

《实施方案》明确了改革的指导思想、目标思路、主要任务和政策保障，细化为104个重要改革举措及工作项目，为今后一个时期的文化改革发展规划了路线图、明确了时间表、布置了任务书。

全领域、深层次的文化体制改革，用制度创新之力，不断巩固着13亿人的文化自信。

撸起袖子加油干。

中宣部常务副部长　黄坤明：

习近平总书记非常重视文化建设，发表了许多重要的论述，作出了一系列战略部署。我想，他展现出强烈的文化自觉和文化自信，深沉的民族情怀和历史担当。正是在这样的新思想新理念的指导之下，中央对文化改革发展作出了新的顶层设计，集中体现在《深化文化体制改革实施方案》之中。

整个方案有两个非常鲜明的特点：一是突出方向引领。不管怎么改，方向不能变，建立健全把社会效益放在首位、确保"两个效益"相统一的体制机制，建立健全在互联网时代坚持正确舆论导向的体制机制。还有一个特点，就是加强谋篇布局，通盘考虑，而且突出重点。

这样，我们的文化建设在改革方向和工作的布局上，就搭建起了新的"四梁八柱"。

曲阜，儒家文化的重要发源地。

2013年11月底，刚刚在党的十八届三中全会上部署了全面深化改革任务的习近平总书记来到山东。考察期间，他专程到曲阜进行调研。

在孔子研究院的展示厅里，他看到桌上摆放的《孔子家语通解》和《论语诠解》，拿起来翻阅，并同随行的同志说，这两本书我要仔细看看。

一年后,习近平总书记在纪念孔子诞辰2565周年国际学术研讨会上发表重要讲话。他强调,包括儒家思想在内的中国优秀传统文化中,蕴藏着解决当代人类面临的难题的重要启示。

优秀的传统文化,是中华民族的根,是中华民族的魂。

习近平总书记:

独特的文化传统,独特的历史命运,独特的基本国情,注定了我们必须要走适合自己特点的发展道路。中华民族创造了源远流长的中华文化,中华民族也一定能够创造出中华文化新的辉煌。

党的十八大以来,在创造性转化、创新性发展中,中华文化的生命力不断增强。《关于实施中华优秀传统文化传承发展工程的意见》的颁布,是第一次以中央文件形式推动延续中华文脉,传承中华文化基因,创新中国成立以来之先河。

以古人之规矩,开自己之生面。

《关于支持戏曲传承发展的若干政策》出台,让薪火难续的地方戏看到了振兴契机。《中国成语大会》、《中国诗词大会》等一批传统文化表达形式的生动探索,让传统文化与时代精神,都焕发出新的面貌。

中国共产党人是中国优秀传统文化的忠实继承者和弘扬者,同时也是中国先进文化的积极倡导者和发展者。

在治国理政的丰富实践中,习近平总书记始终强调精神力量的重要性。弘扬社会主义核心价值观,弘扬以爱国主义为核心的民族精神和以改革创新为核心的时代精神,正是走在中国道路上的13亿人民共同拥有的复兴之魂。

国无德不兴，人无德不立。

习近平总书记始终把培育和弘扬社会主义核心价值观，作为"凝魂聚气、强基固本的基础工程"来看待。他提出，核心价值观，是决定文化性质和方向的最深层次要素。

他强调，如果没有共同的核心价值观，一个民族、一个国家就会魂无定所、行无依归。

自2013年12月《关于培育和践行社会主义核心价值观的意见》印发以来，中央统一部署并推动社会主义核心价值观纳入国民教育体系、融入精神文明创建，入法入规。在2017年制定的《中华人民共和国民法总则》中，弘扬社会主义核心价值观成为重要立法宗旨之一，并贯穿通篇。

在广西南宁，有一位看管车棚的陈阿姨。社区的孩子下午放学后，第一件事就是到陈阿姨这里取回家门钥匙。许多家长下班晚，为了让孩子早回家，他们习惯将钥匙交到陈阿姨手里保管。

十多年来，人们亲切地叫她"钥匙阿姨"。

"钥匙阿姨" 陈秀珍：

大家那么相信我，我心里面很高兴，我觉得也很值得。

一把钥匙，打开一扇信任之门，传递着珍贵的邻里之情。

76岁的新疆生产建设兵团161团退休职工魏德友，在5公里长的中哈边境线义务巡守了52年，成为祖国"永不移动的生命界碑"；江西南昌小伙许诺，在路上遇到突发事故起火的汽车，挺身而出，和其他路人一起，成功救出4名乘客，见义勇为，令人称赞……培育和践行社会主义核心价值观的努力，正以多姿多彩的形式展现出来。

一份对中华传统文化优秀价值观的概括，找到了中华民族在精神价值追求上的最大公约数。

加快构建充分反映中国特色、民族特性、时代特征的价值体系，这是习近平总书记提出的要求。"崇尚英雄，捍卫英雄，学习英雄，关爱英雄"，他还用这16个字告诉全社会，英雄，是核心价值观的重要载体。

2015年12月14日，习近平总书记主持召开中共中央政治局会议，审议通过《关于建立健全党和国家功勋荣誉表彰制度的意见》。2017年，经中央军委主席习近平批准，我军新设立"八一勋章"，授予在维护国家主权、安全、发展利益，推进国防和军队现代化建设中建立卓越功勋的军队人员。

这是对楷模的学习，是对功勋的尊重，更是对英雄的敬仰。

伟大的时代，需要伟大的精神，也需要强大的思想理论支撑。

习近平总书记在哲学社会科学工作座谈会上指出，当代中国正经历着我国历史上最为广泛而深刻的社会变革，也正在进行着人类历史上最为宏大而独特的实践创新。这种前无古人的伟大实践，必将给理论创造、学术繁荣提供强大动力和广阔空间。

之后，中央印发的《关于加快构建中国特色哲学社会科学的意见》强调，坚持和发展中国特色社会主义，必须加快构建中国特色哲学社会科学，创新发展哲学社会科学，为实现"两个一百年"奋斗目标、实现中华民族伟大复兴的中国梦提供强大思想理论支撑。

伟大的时代，需要强大的理论，也需要无愧于时代的文艺精品。

习近平总书记：

中国不乏史诗般的实践，关键要有创作史诗的雄心。我相信，我们这个时代的中国文学家、艺术家不仅有这样的雄心，而且有这样的能力，一定能够创造出无愧于我们这个伟大时代、无愧于我们这个伟大国家、无愧于我们这个伟大民族的优秀作品。

2014年10月15日，秋高气爽，72位文艺领域的代表人物从四面八方赶来，相聚人民大会堂东大厅，参加一次不寻常、非惯例的会议。

这次文艺工作座谈会，与延安文艺座谈会相隔72年，是站在新的历史起点上，党中央召开的文艺工作者的盛会。

习近平总书记在会上语重心长地提出，衡量一个时代的文艺成就，最终要看作品。而能不能搞出优秀作品，最根本的决定于是否能为人民抒写、为人民抒情、为人民抒怀。

文化部部长　雒树刚：

总书记关于文艺工作座谈会的讲话发表以来，文艺界发生了显著的变化。最重要体现在两个方面：在心态方面，文艺工作者更加潜心于创作，静下心来搞创作，深入生活搞创作，而且是围绕着精品；从生态方面讲，文艺界现在可以说积极、健康、向上的氛围越来越浓厚，崇德尚艺的氛围越来越浓厚。

欢乐着人民的欢乐，忧患着人民的忧患，做人民的孺子牛。对文艺工作者来说，这是唯一正确的道路。

深化文化体制改革，就是要更好地出精品、出人才、出效益。2015年10月，中办、国办印发《关于全国性文艺评奖制度改革的意见》，完善全国性文艺评奖的标准和审批，压缩奖项的数量，提升奖项的质量，引导和激励健康创作风气，推动文艺创作从高原走向高峰。

广大文艺工作者以习近平总书记在文艺工作座谈会上的重要讲话精神为指引，秉承以人民为中心的创作导向，投身于"深入生活、扎根人民"主题实践活动。他们坚守中华文化底色、聚焦中国精神，创作生产了包括新版歌剧《白毛女》、《焦裕禄》、《哈尼交响》、《谷文昌》、《鹤魂》、《平凡的世界》等在内的一大批具有时代气息的文艺作品。

坚持精品创作。在北京人民艺术剧院的排练大厅，"戏比天大"四个红色大字格外醒目。

北京人民艺术剧院院长　任鸣：

在你的创作当中，能够反映出来民族的命运、民族的精神面貌、民族的精神气质。要与祖国、与人民、与时代同在。

与祖国、与人民、与时代同在。习近平总书记指出，一部好的作品，应该是把社会效益放在首位，同时也应该是社会效益和经济效益相统一的作品。

2015年9月，中央印发《关于推动国有文化企业把社会效益放在首位、实现社会效益和经济效益相统一的指导意见》。这是文化体制改革中一个里程碑式的文件，将文化改革进一步推向纵深。

中宣部副部长　孙志军：

习近平总书记高度重视文化改革发展中"两效统一"的问题，强调经济效益要服从社会效益，市场价值要服从社会价值。《指导意见》第一次明确提出了国有文化企业"两效统一"的根本原则和管理要求，确立了进一步深化改革的发展方向和基本制度保障，突出了市场经济条件下"文化例外"的特殊要求，明确了文化企业务必弘扬和践行社会主义核心价值观，不能做市场的奴隶，不能被市场牵着鼻子走。

体制是保障，改革出活力。

中国出版业、影视业、演艺业以及动漫游戏、网络文学、网络视频快速发展，激发了人民群众的参与热情，活跃了文化市场。

在2017年乍暖还寒的2月，中国现代出版业的起点——商务印书馆迎来了创办120周年纪念日。"文化担当，社会效益"，不仅是这家百年老字号的立身之本，更是中国出版业繁荣发展的内在动力。商务印书馆所在的中国出版集团，已连续多年入选"中国文化企业30强"和"全球出版业50强"。

中国电影人的最新实践同样告诉我们，社会效益与经济效益是相统一的关系，而不是对立的关系。

2014年，中央《关于支持电影发展若干经济政策的通知》下发。2016年《电影产业促进法》出台，进一步激发了创作和投资热情。截至2017年3月底，我国银幕总数达到44489块，已超过整个北美地区的银幕总数。中国电影股份有限公司、上海电影股份有限公司已相继上市，市场反响热烈。

中影股份有限公司董事长　喇培康：

通过改革，电影主管部门简政放权，极大地方便了我们电影主体，就是我们制片单位、电影公司，营造了一个非常好的创作生产环境。应该说最近这五年是整个中国电影一百多年来最辉煌的五年。这五年也是我们中国电影人非常骄傲的五年。

人民有信仰，民族有希望，国家有力量。

正如习近平总书记所指出，全面建成小康社会，是"国家物质力量和精神力量都增强，全国各族人民物质生活和精神生活都改善"的全面小康。

党的十八届三中全会将构建现代公共文化服务体系，促进基本公共文化服务标准化、均等化，作为全面深化改革的重点任务之一。

2014年12月，中央深改领导小组第七次会议审议通过《关于加快构建现代公共文化服务体系的意见》。随后《公共文化服务保障法》出台，把城乡基本公共文化服务标准化、均等化纳入国民经济和社会发展总体规划及城乡规划，开启了我国公共文化服务体系建设的新时代。

在城市的夜色里，阅读的光芒，是那么灵动。

每天这个时候，21岁的徐望轩都会去往一个地方，即使下着小雨。从2014年开始，温州市民有了这个新鲜去处——"城市书房"，人们可以选择任何时候来到这里，取一本书，享受一段读书的宁静。

温州市图书馆将法人治理结构引入公共文化服务运行管理，成立了由各界代表组成的"图书馆理事会"，将全自助、不打烊的图书馆开进了社区。

倡导全民阅读，便利的公共阅读服务在全国各地蔚然成风。在北京，三联韬奋24小时书店，拓展阅读空间，成为城市文化新时尚。内蒙古实施"数字文化走进蒙古包"工程，惠及十余万农牧民。"天津文化惠民卡"创新思路，直接补贴消费者，增强人民群众获得感。安徽"农民文化乐园"根据群众意愿，政府统一采购文艺演出送到村。

一批以满足人民群众需求为导向的改革创新成果不断涌现。形式多样的公共文化服务模式，积极推进的文化精准扶贫，让更多的人民群众，分享着文化改革发展的成果。

进入新千年，以互联网为代表的信息技术日新月异，引领了社会生产新变革，创造了人类生活新空间。在互联网时代，整个舆论生态都在发生深刻变化。

凝神聚气，培育和践行社会主义核心价值观，更需要一个风清气正的舆论场。2017年5月，经中央批准印发《关于实施网络内容建设工程的意见》，对加强网络内容建设作出全面系统部署，网络内容建设全面展开。6月《网络安全法》正式实施。

网络时代要依法治网，一些网络造谣者、色情提供者和不良网络大V被依法惩治。人民群众对此普遍表示支持和赞赏。

中央网信办副主任　任贤良：

走好网上的群众路线，要画好网上网下的同心圆。应当说，总书记这一系列的明确指示，为我们走出一条中国治网之道指明了方向。

建立健全有利于坚持正确舆论导向的体制机制，成为深化文化体制改革的必然任务。

习近平总书记对新闻媒体寄予厚望，也反复提出明确的要求。党的十八大以来，他先后到解放军报社、人民日报社、新华社、中央电视台等主要新闻媒体做调研。

2016年2月19日，习近平总书记主持召开党的新闻舆论工作座谈会并发表重要讲话。在会上，他用48个字，概括了在新的时代条件下，党的新闻舆论工作的职责和使命。

他强调，党的新闻舆论工作是党的一项重要工作，是治国理政、定国安邦的大事。要适应国内外形势发展，从党的工作全局出发把握定位，坚持党的领导，坚持正确政治方向，坚持以人民为中心的工作导向。要深入开展马克思主义新闻观教育，引导广大新闻舆论工作者做党的政策主张的传播者、时代风云的记录者、社会进步的推动者、公平正义的守望者。

在党的历史上，这是首次针对新闻舆论工作者召开的座谈会，为新形势下做好党的新闻舆论工作明确要求、提出遵循。

推动媒体融合发展，是以习近平同志为核心的党中央巩固宣传思想文化阵地、壮大主流思想舆论的重大战略部署。

2014年8月，习近平总书记主持召开中央深改领导小组会议，部署推进传统媒体和新兴媒体融合发展。随后，中办、国办印发《关于推动传统媒体和新兴媒体融合发展的指导意见》。

中央和地方各主要媒体抓住历史机遇，跟上时代潮流，坚定有力地投身于这场重大而深刻的媒体变革。一批新型主流媒体正在兴起，为壮大主流舆论赢得了战略主动。中国媒体融合的脚步已经走在世界前列。

2017年2月19日，习近平总书记发表"2·19"讲话一周年这一天，央视新闻移动网正式上线。这之前，中央电视台的"中国国际电视台、中国环球电视网"落地，人民日报社"中央厨房"推出，新华社全媒报道平台登场。

一年来，媒体融合成果精彩不断。央视新闻移动网微视频《初心》，讲述了习近平总书记一路走来坚守不变的初心，生动刻画了总书记浓郁的为民情怀和非凡的远见卓识，一经推出就引发"现象级"传播，十天内网络总阅读量达到12.36亿，创全网时政微视频传播新纪录。微视频《一带一路高峰时刻》，通过宏大精美的画面和特技剪辑手法，展示习近平主席在国际外交舞台上的大国领袖风采。

《大道之行》，则对三年多来习近平主席关于"一带一路"讲话的原声进行剪辑，直观呈现"一带一路"建设成果，向全球讲述中国方案。

国家新闻出版广电总局局长　聂辰席：

习近平总书记关于媒体融合的重要思想，为我们推进媒体深度融合、一体发展指明了方向，提供了遵循。主流媒体加快从"相加"向"相融"阶段转变，基本实现"你中有我、我中有你"的融合，并正在着力向"你就是我、我就是你"的目标迈进，有力提升主流媒体的传播力、引导力、影响力、公信力。

2014年3月27日，位于法国巴黎的联合国教科文组织总部，迎来了一位特殊的客人。

这是中国最高领导人首次到访联合国专门机构。国家主席习近平在这里发表演讲，全面深刻阐述对文明交流互鉴的看法和主张。

习近平主席：

让收藏在博物馆里的文物、陈列在广阔大地上的遗产、书写在古籍里的文字都活起来，让中华文明同世界各国人民创造的丰富多彩的文明一道，为人类提供正确的精神指引和强大的精神动力。

把跨越时空、超越国度、富有永恒魅力、具有当代价值的文化精神弘扬起来，把继承优秀传统文化又弘扬时代精神、立足本国又面向世界的当代中国文化创新成果传播出去。中央审议通过《关于进一步加强和改进中华文化走出去工作的指导意见》，强调要拓展渠道平台，创新方法手段，增强中华文化亲和力、感染力、吸引力、竞争力，提高国家文化软实力。

传统故事，时代创新。

中国文化，世界表达。

这是中央民族乐团排演的《又见国乐》。一把古琴，一支笛子，高山流水之间，伯牙子期的千古佳话重现；刘邦项羽的楚汉之争，在两支琵琶的琴弦拨动间，跃然于舞台之上。

在中国国家大剧院，在美国华盛顿肯尼迪艺术中心，在纽约林肯艺术中心，《又见国乐》赢得了经久不息的掌声。

中央民族乐团团长　席强：

为传统文化注入新的生命力，让中国文化成为外国人也能够听得懂的世界语言，这需要我们大胆探索。这些年，中国民乐也多次随总书记出访国外，在观众的掌声中，中国艺术家、中国民乐人找到了文化自信。

带着自信，中国文化向世界展示了独特的魅力。

曹文轩、刘慈欣等一批作家，闪耀在国际大奖舞台的聚光灯下。《媳妇的美好时代》、《超级工程》等一批体现现代中国都市生活、建设成就的作品，渐渐在对外传播中崭露头角。《我们诞生在中国》、《长城》等一批合拍电影，借水行船，带着中国形象、中国文化，迈向国际市场。从2014年APEC峰会到2016年G20峰会，再到刚刚过去的"一带一路"国际合作高峰论坛，在一次次主场外交重大活动中，中华文化的魅力，感染着整个世界。

二十国集团领导人杭州峰会文艺演出总导演　张艺谋：

所有的这种文艺创作，其实都是在弘扬和发扬传统文化。我们真的是要响应习总书记的号召，对世界讲出中国故事，对世界讲好中国故事。在你的作品中，你肯定要反映中国的情怀，中国人的想法，中国人的世界观，中国人的价值观，其实也就是在反映中国文化。

国之交在于民相亲，民相亲在于心相通。文化是沟通心灵最好的桥梁。我们有本事做好中国的事情，就要有本事讲好中国的故事。

党的十八大以来，习近平总书记总是身体力行，在国内外各种场合，带头讲好中国故事。

《习近平谈治国理政》一书，被誉为是"国际社会读懂中国的一把钥匙"，几年来在世界范围内持续热销。目前全球发行已超过625万册，除中文版外，还被译成英、法、俄、阿、西、葡、德、日等多个语种版本。

习近平总书记高屋建瓴，促进当代国人把更多的文化自信、更生动的中国故事带到全世界面前，带入到世界文化的百花园中。

等闲识得东风面，万紫千红总是春。

习近平总书记关于文化改革发展的一系列重要论述，是对马克思主义文化理论的继承和发展，充分体现了以人民为中心的思想，充分体现了对文化改革创新的时代要求。

党的十八届三中全会以来，文化体制改革攻坚克难、全面发力，一批具有四梁八柱性质的重大改革取得突破性进展，改革主体框架基本确立，重点改革支撑作用日益凸显，文化活力迸发，文化魅力生长。

站立在960万平方公里的广袤土地上，浸润着中华民族漫长奋斗积累的文化养分，拥有13亿中国人民聚合的磅礴之力，中华文化，既坚守本根，又不断与时俱进，总是在重大历史关头，感国运之变化、立时代之潮头、发时代之先声。

自信人生二百年，会当水击三千里。

这是一幕"发展出题目、改革做文章"的大戏。

这是一部充满文化自信的大作。

传承传统文化，弘扬时代精神，讲好中国故事。

一个有深厚文化自信的民族，才有长久屹立的精神支撑，才能拥有复兴之魂。

第六集

守住绿水青山

第六集《守住绿水青山》完整视频

几千年前，中国人在这片广袤的土地上，创造出了灿烂的农耕文明。诗人用风雅颂、赋比兴来赞誉，一唱千年。

同样在这片土地上，今天的中国人用双手和智慧创造出了现代化的工业文明，而且奇迹般的只用了几十年，便让世界瞩目，令世人惊叹。

但是，我们也付出了沉重的代价……

蓝天白云、青山绿水，已变得如此珍贵。

这生命之河，将流向何处？

如何为这片土地提供永续之脉？

2013年11月12日，党的十八届三中全会通过《中共中央关于全面深化改革若干重大问题的决定》（以下简称《决定》）。一场关系到人民福祉、关乎民族未来的深刻变革，就此开启。在这一《决定》中，全面、清晰地阐述了生态文明制度体系的构成及其改革方向、重点任务。

这是继党的十八大首次将生态文明建设与经济建设、政治建设、文化建设和社会建设一起，纳入到中国特色社会主义"五位一体"总体布局后的又一次重大创新。

中国，世界上人与自然关系最紧张的国家之一，世界上近五分之一的人口生活在960万平方公里的土地上，人均资源拥有量远不及世界平均水平。改革开放三十多年来，传统的粗放型发展方式已难以为继，资源环境的承载力已经达到或接近上限。

以铜为镜可以正衣冠，以史为鉴可以知兴衰。

翻开历史画卷，古巴比伦、古埃及、古中国等诸多古老文明，大多发源于水量丰沛、森林茂密、田野肥沃的地区。而生态状况的急转直下，也让巴比伦、玛雅等一度兴盛的文明，由盛转衰，甚至毁灭。

黄河，中华民族的母亲河。它蜿蜒流淌，灌溉着黄土高原。然而，人类过度的开发消耗，也让这块曾经生长过茂林巨树的土地，遍布光山秃岭。

国务院发展研究中心环资所所长　高世楫：

如果我们在工业化快速发展期间，不注重保护生态环境，那么我们伟大复兴的中国梦就没有了依托。

人与自然，经济发展与生态保护，真的就如哈姆雷特式的两难选择，只能二选其一吗？

早在2003年，时任浙江省委书记的习近平，就在《求是》杂志上发表署名文章，提出了"生态兴则文明兴、生态衰则文明衰"这一重要论断。

担任党的总书记之后，习近平多次讲到，我国生态环境矛盾有一个历史积累过程，不是一天变坏的，但不能在我们手里变得越来越坏，共产党人应该有这样的胸怀和意志。

掷地有声的话语，体现了对人类文明发展规律的深刻认识，宣示了中国共产党人的决心，更担起了一份特殊的历史重任。

党的十八大以来，以习近平同志为核心的党中央，始终把生态文明建设放在治国理政的重要战略位置。三中全会提出加快建立系统完整的生态文明制度体系，四中全会要求用严格的法律制度保护生态环境，五中全会将绿色发展纳入新发展理念。

对生态文明建设的部署，频次之密、推进力度之大、取得成效之多，前所未有。

2013年9月7日，哈萨克斯坦，纳扎尔巴耶夫大学迎来了一位尊贵的客人。

正在这里访问的习近平主席，面对上千名师生，用直白的话语，剖析了发展经济和保护环境之间的关系。

习近平主席：

既要金山银山，又要绿水青山。宁可要绿水青山，不要金山银山，因为绿水青山就是金山银山。

"绿水青山就是金山银山"，这一重要论断，贯穿在习近平的生态文明思想中。它打破了简单地把发展与保护对立起来的思维束缚，生动地讲述了发展与保护的内在统一。

远见卓识源于亲身实践，高瞻远瞩基于深入调研。对绿水青山与金山银山关系的深刻认识，源自于习近平长期对生态文明建设的实践与思考。

这是一张拍摄于上个世纪80年代福建省长汀县的照片。由于过度砍伐,这个曾经繁华富庶之地,变成了"山光、水浊、田瘦、人穷"的贫困地区。

这一切,让当时在福建工作的习近平忧心忡忡。为了治理长汀的水土流失,习近平五下长汀,走山村,访农户,摸实情,谋对策,长汀人大规模治山治水的大幕也就此拉开。

然而水土流失让土壤贫瘠,氮磷钾几乎为零,夏天地表温度高得惊人。

福建省长汀县水土保持事业局局长　林豫峰:

夏季最高的地表温度可以达到76摄氏度,鸡蛋都可以煮熟。

如何让火焰山般的土壤恢复植被呢?

不服输的长汀人,一次次地实验、摸索,终于找到了先种草给地表降温;草种活之后,再尝试种能活的灌木;等到形成一定的地表植被之后,再种植能适应的树种的方法。

经过十多年的艰苦治理,长汀治理的水土流失面积已达162.8万亩,实现了从荒山到绿洲再到生态家园的历史性转变。

福建省长汀县三洲镇三洲村村民　黄金养:

以前(收入)都很少,一年才一两千块钱。像现在我总共一千多亩山林,总的收入一年几十万块钱。梦都不敢想,有今天的幸福生活。

长汀的生态样本,折射出习近平清晰的生态文明理念。而习近平的生态文明思想，随着他工作的轨迹，一步步在实践中形成、丰富和发展。

上个世纪80年代，习近平在河北正定工作的时候，就提出了"宁肯不要钱，也不要污染"的理念；在福建工作期间，就反复强调，资源开发要达到社会、经济、生态三者效益的协调；而在浙江，习近平大力推动生态省建设，并直接推动当地"自然休养"、"生态补偿"等改革探索。

担任总书记之后，习近平不仅把生态文明观放在治国理政新理念新思想新战略的重要位置，而且紧紧抓住全面深化改革的历史机遇，率领全党，强力推动生态文明体制改革，补上制度短板。

2014年初，中央全面深化改革领导小组成立还不到一个月，下设的六个专项小组就迅速组建完成，经济体制改革和生态文明体制改革被放到了一个小组。

北京大学环境学院教授　林坚：

这是一次治国理政的重大的创新和突破，从"末端治理"转向"源头防控"，经济发展和生态文明体制的改革，转向了应用全局观、系统观来进行统筹推进，这样更加符合我们建设美丽中国的诉求。

然而，一个13亿多人口发展中大国的生态文明体制，其框架，如何制定得更科学、更有效、更着眼长远呢？

中央财经领导小组办公室副主任　杨伟民：

资源的紧缺性、污染的严重性和生态破坏的严重性，已经不允许我们再像其它领域那样，从摸着石头过河开始来推进改革。那样可能会花费的时间更长，那么老百姓的容忍度也是有限的。所以需要中央制定一个顶层设计，从上往下去推动生态文明体制的改革。

中南海怀仁堂，中央深改领导小组召开会议的地方。

在总计37次会议审议的改革方案中，有近40项与生态文明体制改革直接相关。这一项项改革举措，不仅直面当前的突出问题，以期立行立改，而且着眼长远发展，旨在标本兼治。

然而改革推进到深处，所遇到的难题就像一筐螃蟹，抓起一个，又牵起另一个。生态文明领域的改革更是如此，不仅涉及的利益关系错综复杂、环环相扣，而且大家在改革的认识上也不统一。

2015年新年刚过，北京一个僻静的院落，迎来了中央编办、发改委、财政部等12个部门的负责同志。被誉为生态文明体制改革"四梁八柱"的关键文件——《生态文明体制改革总体方案》，开始在这里酝酿。

由于这项重大改革要整合十多个方面的工作，触及多个部门的"奶酪"，争议、阵痛、醒悟、选择，在这间会议室里频繁发生着。

中央财经领导小组办公室副主任　杨伟民：

因为部门自己动自己，自己切自己，这种手术，它是很难做的。就像一个医生给自己动手术，是很难做的。

按照习近平总书记的要求，为了提高改革质量，专项小组组成了跨部门小组来共同推进。

中央财经领导小组办公室副主任　杨伟民：

我们（专项小组）来牵头，可能没有自身的这个利益，站在国家全局，站在生态文明（体制）改革的这个战略方向上，来考虑到底去切哪些，动哪些。看到这个"毒瘤"确实应该切，那他就可以下决心切下去。

2015年9月22日，我国生态文明领域改革的顶层设计——《生态文明体制改革总体方案》，对社会公布。

生态文明体制改革的目标，被锁定在这八项制度上——自然资源资产产权制度、国土空间开发保护制度、空间规划体系、资源总量管理和全面节约制度、资源有偿使用和生态补偿制度、环境治理体系、环境治理和生态保护市场体系、生态文明绩效评价考核和责任追究制度。

"四梁八柱"，骨架在此。

中国科学院科技战略咨询研究院副院长　王毅：

这是一个顶层的设计方案，它主要问题是为了解决过去改革任务过于碎片化和部门利益导向的这个问题。方案当中提出了很多创新性的制度安排，包括像自然资产的确权，包括像空间（规划）体系，这些都是一些填补空白的基础性制度。

思想上的雾霾不除，空气中的雾霾就不可能根除。只有有了先进的理念，才会有领先的改革。

在《生态文明体制改革总体方案》里，引人瞩目地提出了要树立的六个重大理念——

树立尊重自然、顺应自然、保护自然的理念；

树立发展和保护相统一的理念；

树立绿水青山就是金山银山的理念；

树立自然价值和自然资本的理念；

树立空间均衡的理念；

树立山水林田湖是一个生命共同体的理念。

青藏高原的三江源。

39.5万平方公里的土地上，分布着众多的河流、湖泊、沼泽和冰川。它们是长江、黄河、澜沧江的发源地，每年向下游供应水资源达600亿立方米，被誉为"中华水塔"。

然而，在相当长的一段时间里，由于条块分割、管理分散、各自为政，这里的生态环境保护，常出现尴尬局面。

三江源国家公园黄河园区生态环境管理局局长　星多杰：

在这片区域里有湖泊、湿地、草原，还有野生动物，以前由国土、环保、水利、林业、农牧各管各的。

三江源国家公园管理局局长　李晓南：

更主要的是什么？在规划和保护体系的形成当中，没有一个统一的标准。林业部门一个标准，农牧部门一个标准，环保部门又是环保上有一条标准，各项标准在基层落到这个点位上的时候，都很难于操作。

改革，就是要冲破传统的博弈思维，割舍已固化的部门利益，通过更高层面的协调机制，把各类生态资源纳入统一治理的框架之中。

2015年12月9日，中央深改领导小组召开第十九次会议。在审议通过的八项改革方案中，《三江源国家公园体制试点方案》位列其中。

中国工程院院士　　沈国舫：

需要蹚一蹚路。通过三江源的国家公园，来探讨将来国家公园建立的一些体制，来使得它将来从产权上、从财政上、从管理上能够不是部门分割，而是有更协调的发展。

国土是生态文明建设的空间载体。

在十八届中央政治局第六次集体学习上，习近平总书记指出，要按照人口资源环境相均衡、经济社会生态效益相统一的原则，整体谋划国土空间开发。

中国工程院院士　　沈国舫：

这个整体谋划本身，确实是习近平总书记采用了系统工程一些主要观点。这个布局对生态保护是一个基础性的工作。从国家的根本利益出发来进行规划以后再做这个工作，才能够避免以后各种扯皮的活动。

这不是一张普通的地图。在国家测绘地理信息局的数据库里，960万平方公里的土地，被用五彩的色块标注出不同的主体功能。

国家基础地理信息中心工作人员　　高崟：

红色是禁止开发区，像这个绿色的大片是二类限制开发区，亮绿色的是一类限制开发区。然后看看，像这边这种橙色的是重点开发区。通过这个图，我们可以做什么用途，能开发什么项目，都是一目了然。

在这个版图上，过去空间性规划重叠冲突、部门职责交叉重复、地方规划朝令夕改等问题正在逐步解决。

继全国28个市县开展"多规合一"试点后，海南省率先试水，成为全国首个省域"多规合一"改革试点地区。今年"多规合一"省域改革试点再次扩围至九个省份，推动形成"一本规划一张蓝图，一张蓝图干到底"。

在这个版图上，过去多个部门划分生态红线，存在的破碎问题，得到了解决。生态保护红线全国"一张图"，让保护生态，只有一条红线。

这条生态红线是保证国家长盛久兴的生命线。面对这条生态红线，习近平总书记给出了七个字的要求——"不能越雷池一步"。

位于内蒙古阿拉善左旗与宁夏中卫市接壤处的腾格里沙漠腹地，由于地下水资源丰富，一直是当地牧民的主要集聚地。

然而记者却拍摄到这样触目惊心的景象。数个足球场大小的长方形的排污池并排居于沙漠之中，远看就像是数个黑色的湖。

当地居民：

管道就从这边通过这沙子，从那边很多厂子里面来的污水直接往沙子里排放。几乎这些沙漠里面都排过污水，排完以后他们（厂家）过来用铲车啥的推掉、埋掉，好像什么都看不见了，实际上下面全是污水。

内蒙古阿拉善盟腾格里工业园区的环境污染问题被媒体连续曝光后，引起党中央的高度重视。习近平总书记专门作出重要批示。

一个屡拖未决的污染问题终于彻底解决。

环保部环境与经济政策研究中心主任　夏光：

总书记的这种批示，有一个巨大的案例效应。他是通过这样的工作，进一步引起各级党政领导者对生态环境问题的重视。

习近平总书记曾表示，只有实行最严格的制度、最严密的法治，才能为生态文明建设提供可靠保障。

党的十八大以来，在生态文明建设领域，制定修改的法律就有十几部之多，其中新制定和修改幅度较大的法律有六部。可以说，当今中国，正在以前所未有的速度，构建起最严格的生态环境法律制度。

全国人大常委会法制工作委员会副主任　许安标：

在罚款方面增加了一个很重要的制度，就是按日计罚。只要你不停止违法行为，每天都给你计算相应的罚金。那我们知道，钱多没有时间多，所以他的违法成本就空前地提高。

2016年6月30日，本是个普通的日子。然而这天却让河南洛阳香江万基铝业有限公司总经理王江喜忧参半。

喜的是，企业两台完成脱硝改造的锅炉终于实现达标排放。忧的是，根据新《环保法》按日计罚、上不封顶的法律条文，王江累计收到的罚款总额达到了令人瞠目结舌的9663万元。

这个数额相当于企业三年利润。

河南洛阳香江万基铝业有限公司总经理　王江：

整个人都蒙了，整夜都睡不着觉，每天都靠吃安眠药度过。

最终，近亿元的环保罚款在上级企业的帮助下如期缴纳。在当地政府的帮助下，企业建成了新标准的环保设施。

记者前去采访的这一天，河南洛阳笼罩在雾霾中。不少企业因环保问题被限产停产，而王江的企业却因为超低排放，可以开足马力生产。

河南洛阳香江万基铝业有限公司总经理　王江：

我们得到了更大的环保空间，让企业达到了5到10年的快速发展期。

2016年的第一个工作日，河北省石家庄，中央环保督察组进驻河北。

在随后的时间里，督察组相继进驻23个省区市，问责人数超过万人。

这场自上而下的环保风暴前所未有的猛烈，其力量就源于这份中央深改领导小组及时推出的《环境保护督察方案》。

对于这份改革方案，习近平总书记高度重视，要求将环境保护督察作为推进生态文明建设重要抓手，强化环境保护党政同责和一岗双责的要求。

这让本不是当年度改革任务的《环境保护督察方案》，提前摆在了中央深改领导小组的审议桌前。

环保部环境与经济政策研究中心主任　夏光：

就是因为，要实现大气污染防治行动计划规定的目标，还有一定的距离。如果再不采取一些特别的行动，这个计划的目标可能就不容易实现。这就像部队打仗一样，如果出现了一种特殊的需要，要打一个特别的攻坚战，那我们就需要临时组织一个特种部队来完成这项工作。

接受群众举报，约谈省委省政府主要领导，对污染企业调查取证。督察组雷厉风行，敢于硬碰硬。

在国家环境保护督察办公室，我们看到了刚刚出炉的督察报告。上海、北京、重庆、甘肃、陕西等省市的多个地方，因为对环保工作的重视程度不够被点名批评。

陕西省委书记　娄勤俭：

听到通报以后，我还是脸比较红，心还是感到很紧张，特别是提到的有一些问题，也是"猛击一掌"。有时候我们看到一些问题，可能看到了，但是并没有这么深入地去认识和分析。所以我们要把机制建立好，要这样才能保持可持续发展。环保不是一天的事情，需要我们持续地努力，久久为功。

然而，在环保督察报告中，我们也看到了这样的尴尬。有的地方环保考核不达标，但是经济社会考核优秀。还有的地方，政府主动帮排污企业交排污费。

督察可以治标，那么，如何治本呢？

习近平总书记曾多次语重心长地告诫大家：一定要彻底转变观念，再不要以GDP增长论英雄了。

2016年12月22日，《生态文明建设目标评价考核办法》正式公布，生态责任成为政绩考核的必考题。发改委、统计局、环保部、中组部等部门又相继制定了《绿色发展指标体系》和《生态文明建设考核目标体系》。

中国科学院科技战略咨询研究院副院长　王毅：

（指标）跟我们每天呼吸的空气和使用的饮用水是息息相关的，它是一个可见的。而且在这个指标的变化之后，意味着一系列的制度安排，管理体制、监管方式都跟过去不一样了。

这无疑是一次重大调整，彰显出党的十八大以来，以习近平同志为核心的党中央推进生态文明建设的坚定决心。

坚决地向错误的发展观、政绩观说"不"！

然而，对于一些官员来说，政绩观不是一夜之间就能彻底改变的。在一些地方，干部嘴上不再"唯GDP论英雄"了，想法里、做法里、骨子里，还是在"唯GDP论英雄"。

祁连山自然保护区是我国西北地区重要的生态屏障，其涵养的水源，是甘肃河西五市及内蒙古、青海部分地区500多万群众赖以生存的生命线。但是探矿采矿、旅游开发、农牧业生产等活动，使脆弱的生态环境不堪重负。

就是这样面临着严重生态危机的地方，中央环保督察组前脚刚走，企业立刻开始排污。

当地居民：

前段时间，中央环保督察期间，（环保措施）肯定在提升。这段时间，听说走了，赶快就生产。

执法检查人员：

直排，这绝对是直排，污染治理设备一点没上，你看一股一股的（浓烟）。

对这些不顾生态环境、造成严重后果的人，习近平总书记指出，必须追究其责任，而且应该终身追究。

2015年7月1日，中央深改领导小组第十四次会议审议通过了《关于开展领导干部自然资源资产离任审计的试点方案》、《党政领导干部生态环境损害责任追究办法（试行）》两份改革文件。

领导离任审计、责任追究，第一次进入到了生态领域。

国务院发展研究中心环资所所长　高世楫：

标志着我们对领导干部从"审钱"的经济责任审计，延伸到"审天"、"审地"、"审空气"的生态审计。通过严格的问责，倒逼我们保护环境推进绿色发展，实现生态文明的建设目标。

2016年1月5日，冬日的山城，寒气中和着丝丝暖意。

上海、湖北等沿江11省市负责人聚在了一起，参加由习近平总书记主持的推动长江经济带发展座谈会。

习近平总书记：

不是一说这个就是大干快上，上一堆没用的东西，或者是有害的东西。无序、破坏、混乱，这都不行，一开始就要把握住。而我们现在当务之急要做的和进一步要防范的，就是一定要把母亲河保护好。她已经恶化了，要恢复她，而不是再进一步地破坏她。

总书记的一席话，让在场的人们陷入了沉思。

2013年国家启动长江经济带规划工作时，大家更看中的是，如何发挥长江经济带在稳增长中"压舱石"的作用。沉浸在即将迎来大开发喜悦中的人们，并没有意识到，如果是走传统路子的大开发，会给长江资源环境带来怎样的冲击。

国务院发展研究中心副主任　王一鸣：

总书记特别形象地提出，长江"病了"，"病"得还不轻。

长江经济带，不能再走大开发的老路了。长江，承受不起缺少保护的开发了。

党的十八大以来，习近平总书记的足迹遍布长江的上中下游，规划审议前又专程进行调研。

国务院发展研究中心副主任　王一鸣：

在调研的基础上，他提出了长江经济带重要的战略定位。他说，长江经济带发展的思路很多，方案也很多，但是从中华民族的长远利益去考虑，必须走生态优先、绿色发展的路子。共抓大保护，不搞大开发。

从大开发到大保护，思路变化的背后，体现的是生态文明、绿色发展的进步。这是对历史负责，对民族负责。

为官一任，造福一方。今天，每一个在任的干部，每一个离任的干部，都要面对时代的拷问、制度的拷问——

你造了什么福？

你给身边的群众带来了什么？

你给后代留下了什么？

你的作为，是否经得起历史的检验？

以时代为己任，以责任为担当。

中国正在推进的这场深层次、全方位的生态文明变革，不仅将改变中国，也将为维护全球生态安全作出新的贡献。

2015年12月12日，里程碑式的《巴黎协定》在经过艰难博弈后终于诞生。时任联合国秘书长的潘基文，评价中国在推动《巴黎协定》达成上，作出了历史性的突出贡献。

中国政府应对气候变化特别代表　解振华：

在谈判《巴黎协定》的这个过程当中，当时斗争非常激烈，矛盾非常尖锐。应该说习主席一直走在前面，亲自做工作。他要求各个国家要求同存异、相向而行，最后要做极端意见的各方的工作，然后要把最后的结果往中间靠。习主席讲，（应对）气候变化不是别人让我们做的，是我们自己要做的，这是中国实现可持续发展的内在要求。

2016年9月，西子湖畔，盛会在即。

在二十国集团杭州峰会召开前夜，习近平主席亲手将气候变化《巴黎协定》中国批准文书，递交到时任联合国秘书长潘基文手中。

尽管中国面临着来自国内经济转型等多重挑战，但是在控制温室气体排放上，中国承诺，令世界惊叹。到2030年左右，使二氧化碳排放达到峰值，并争取尽早实现；2030年，单位国内生产总值二氧化碳排放比2005年下降60%—65%。

中国政府应对气候变化特别代表　解振华：

（习近平主席）实际上下了非常大的决心，我们还要发展，还要消除贫困，还要保护环境，还要应对气候变化，所以在这个诸多的挑战当中，我们能够实现我们这些目标。实际上一个很重要的目的，就是要使我们的经济增长质量跟效益能够得到提高。

2017年6月，美国宣布退出《巴黎协定》。但别国的态度不影响中国的行动，中国将一如既往地做应对气候变化进程中的"行动派"。

决心的背后是自信，而自信来自于力量。

中国正在强力推动的生态文明建设是发展理念、发展方式的根本转变，是一项全面而系统的工程，是一场全方位、系统性的变革。

如今，环境污染第三方治理在全国范围实施，启动实施了一批第三方治理项目；用能权、碳排放权、水权、排污权交易稳步推进；出台了培育环境治理和生态保护市场主体的意见；绿色金融制度安排已经出台，将通过绿色信贷、绿色债券等各种金融手段，引导和激励更多社会资本投入绿色产业，运用市场机制促进生态保护的积极作用日渐明显。

就在今年，充满改革创新意味的"河长制"，在全国范围全面启动实施。河长们可以越过传统的行政边界，按照生态规律来保护流域生态。

就在今年，天然林商业性采伐在全国范围停止。这标志着100多年来向森林过度索取的历史将终结。重点国有林区、国有林场从开发利用转入全面保护的发展新阶段。

就在今年，生态补偿迈出实质步伐，明确跨界流域补偿基准。到 2020 年，森林、草原、湿地、荒漠、海洋、水流、耕地等重点领域和重点生态功能区生态保护补偿将实现全覆盖。

环境就是民生，青山就是美丽，蓝天就是幸福。

2013 年，习近平总书记在海南考察时表示，良好的生态环境是最公平的公共产品，是最普惠的民生福祉。

在习近平总书记的视野里，生态环境问题不仅是经济问题，也是民生问题、政治问题。

因为，民心是最大的政治。

2017 年 5 月 26 日，一场以"绿色发展"为主题的集体学习在中南海举行。习近平总书记表示，推动形成绿色发展方式和生活方式，是发展观的一场深刻革命。要让良好生态环境成为人民生活的增长点，成为经济社会持续健康发展的支撑点，成为展现我国良好形象的发力点。

直面生态环境压力挑战，勇于攻坚克难积极作为。党的十八大以来，生态文明建设和生态文明体制改革推进快、成效大、百姓获得感强，一个又一个积极变化，在人们的生活中悄然发生。

山东枣庄市民　张海红：

原来这片山吧，都是和尚山，连一点树也没有，草也没有。我就是从这儿下边长大的。我跟你说吧，这些年，这一片全部都跟美女一样，特别绿油油的，咱自己走在里边特别舒服，心情也舒畅。

甘肃兰州市民：

原来我们出来戴口罩，现在不戴口罩了，气候特别好，各方面都好了，身体也好了，红光满面的一天。

环保志愿者　陈九谕：

过去这个地方都是一片荒滩，垃圾成堆，臭气熏天。好多下水都从这个地方放下来。那个时候哪来什么鸟啊，连植被都很少。现在变成了湿地公园，由于我们自然条件的改变，土壤、水改变以后，引来了很多野生动物。赤麻鸭、天鹅、斑头雁这些动物，都在这个地方来找食。

吉林省延边朝鲜族自治州珲春市民　迟全：

我在去年的时候还拍过东北虎，我现在手机里还有这个视频。当时（在车上）拍的东北虎，我姑娘看了以后说，爸爸你太厉害了，这个老虎你都能拍到。

百姓对生态环境变化的感受，也体现在了权威部门发布的统计数字里。

2013年到2016年，全国空气质量达标的城市从3个增加到了84个；2016年优良天数比例达到了78.8%，同比提高2.1个百分点，城市颗粒物浓度和重污染天数持续下降；2016年，全国水质优良断面比例同比上升3.2个百分点；大气、水、土壤污染防治三大战役取得了阶段性成效。

党的十八大以来，生态文明体制改革形成了全面铺开、点上突破、上下互动、统筹推进的良好局面。

虽然在生态环境保护方面还面临极大挑战，但长期以来困扰我国的资源消耗强度大、环境污染严重、生态系统退化的严峻局面已得到了初步扭转。

长缨在手，江山向美。

雨过天晴云破处，这般颜色画将来。

这是我们的祖国，这是我们的家园。这一草一木，这一山一水，都和我们的今天息息相关，都与我们的明天紧紧相连。

第七集 强军之路（上）

第七集《强军之路》（上）完整视频

金秋的北京碧空如洗，中国的首都又一次成为世界瞩目的地方。

2015年9月3日，中国以一场气势恢弘的盛大阅兵，纪念中国人民抗日战争暨世界反法西斯战争胜利70周年。

战阵铿锵，铁流奔涌，战鹰呼啸。

中国共产党缔造和领导的人民军队，精神抖擞地通过天安门广场，接受祖国和人民的检阅，接受三军统帅的检阅。

习近平：

我宣布，中国将裁减军队员额30万。

这是中国的和平宣言。

这是强军的时代鼓角。

这是改革的出征号令。

这一年，中国的全面深化改革进入崭新阶段，这个古老国度由大向强的脚步愈发坚定。

这一年，深化国防和军队改革正式拉开大幕，一场决定中国军队未来的重塑之战全面打响。

南海之滨的深圳,像一只展翅翱翔的大鹏。蛇口港就位于大鹏的头部。

2012年12月8日,沐浴着初升的朝阳,新型导弹驱逐舰"海口"号,静静停泊在这座巨轮穿梭的商港。

上午11时,习近平登上战舰。

大海天水一色,战舰破浪前行。一个半世纪前,就是在这片海域,西方列强的坚船利炮打开了中国大门,古老的中国跌入苦难的深渊。

历史的警钟仿佛大海的涛声久久回荡——强国必须强军。

告别大海,车发岭南。

两天之后,身着军便装的习近平又出现在了当时的第42集团军演兵场上。

在接见驻穗部队师以上领导干部时,习近平讲了这样一番话。

习近平:

前不久,我去参观了《复兴之路》展览。我提出了我们实现中华民族伟大复兴,这是中华民族近代以来最伟大的梦想。我想说,我们的中国梦,这个伟大的梦想,就是强国梦。对军队来讲,也是强军梦。

习近平的南海之行,引发了国际舆论的广泛关注。

此刻,他当选党的总书记和中央军委主席,只有20多天。从提出中国梦到提出强军梦,仅仅10天。

外电评论，习近平第一次外出视察就选择了中国改革开放的前沿，第一次视察部队就登上战舰战车，这意味着中国新一代最高领导人不仅要强力推动中国的改革事业，而且还将引领世界上规模最大的军队进一步现代化。

"我想的最多的就是，在党和人民需要的时候，我们这支军队能不能始终坚持住党的绝对领导，能不能拉得上去、打胜仗？各级指挥员能不能带兵打仗、指挥打仗？"

这个新时代的"胜战之问"，始终萦绕在三军统帅的心头，深深叩问着三军将士。

2013年3月11日，面对第十二届全国人大一次会议解放军代表团全体代表，习近平庄重宣布——

习近平：

建设一支听党指挥、能打胜仗、作风优良的人民军队，是党在新形势下的强军目标。

他号召，准确把握这一强军目标，用以统领军队建设、改革和军事斗争准备，努力把国防和军队建设提升到一个新水平。

国防大学原副校长　毕京京：

可以说，习主席在军队一亮相，就传递出矢志强军的政治担当。强军目标提起了人民军队建设的总纲，发出了强军兴军总动员令。强军，成为人民军队的主旋律、最强音。

统帅令出，三军景从。

强军！强军！强军！

在习近平的率领下，这支从历史的战火硝烟中一路走来的队伍,向党在新形势下的强军目标发起新的冲锋,向世界一流军队迈出坚实步伐!

一部人民军队发展史,就是一部改革创新的历史。从土地革命战争时期创立"党指挥枪"等一整套建军原则制度,到抗战时期实行精兵简政;从新中国成立后多次调整体制编制,到改革开放新时期百万大裁军,仅建国后大的改革就有13次……我军从小到大,从弱到强,从胜利走向胜利,改革创新的步伐从未停歇。

一支军队,只有勇于变革,才能永远立于不败之地。"放眼世界,纵观全局,审时度势,我们必须以更大的智慧和勇气深化国防和军队改革。"

习近平:

我们这一代人,历史使命是崇高的。我们肩上的责任是伟大而繁重的。那么部队呢,就要围绕着中华民族伟大复兴的中国梦,去实现强军梦。这是光荣的,这也将在你们的一生中啊,留下难忘的、值得自豪的一个青春篇章。

广大官兵从习近平坚定有力的话语中,掂出了新一轮改革的分量。

改革,实现中国梦、强军梦的时代要求。

改革,强军兴军的必由之路。

改革,决定军队未来的关键一招。

这是国外电视节目中常常对比出现的两组镜头。

一组是,在世界各地的港口和海峡,悬挂着五星红旗的货轮川流不息。另一组是，在中国的周边，外国军事基地密密麻麻。

一支军队，根本职责就是利剑在手、枕戈待旦，在国家需要的时候，召之即来、来之能战、战之必胜。

海上维权官兵：

我是中国海军军舰，请立即离开！请立即离开！各部位注意加强观察警戒。观察组警戒组人员就位。做好反恐反海盗准备。火炮做好对海射击准备。

170发现目标！90度方位，距离10公里，注意保持！

明白！

注意！我是中国海军航空兵。你即将进入中国领空，立即离开！立即离开！

军事科学院专家 罗援：

没有一支强大的军队，没有一个巩固的国防，强国梦就难以真正实现。历史的规律表明，经济社会发展到哪一步，国防实力就要跟进到哪一步。维护国家安全和发展利益，必须有与之相匹配的军事力量。

当今世界，以信息技术为核心的新军事革命惊涛拍岸。加紧推进军事变革成为大国赢得战略主动权的共同选择。

海湾战争、科索沃战争、伊拉克战争、阿富汗战争、俄格战争，眼花缭乱的战争背后，是战争形态和作战方式翻天覆地的变化——信息主导、体系支撑、精兵作战、联合制胜的特征更为鲜明，武器装备向精确化、智能化、隐身化、无人化发展，战场空间向太空、网络、深海、极地拓展……

世界新军事革命速度之快、范围之大、程度之深前所未有。这既为人民军队提供了难得的历史机遇，同时也提出了严峻挑战。

机遇稍纵即逝，抓住了就能乘势而上，抓不住就可能错过整整一个时代。

1900年，"八国联军"进攻北京，临时拼凑的一万八千多人，竟然在泱泱大国长驱直入，索取了四万万五千万两白银的赔款，创下了世界战争史上的纪录。

从鸦片战争开始，西方列强强迫旧中国签订的不平等条约多达750多个。中国近代史上的一次次"剜心之痛"，被习近平反复提起："军事上的落后一旦形成，对国家安全的影响将是致命的。我经常看中国近代的一些史料，一看到落后挨打的悲惨情景就痛彻肺腑！"

海军研究院专家　尹卓：

事实上，清军也曾尝试过改革。然而，清军只是在装备上寻求改良，但是不追求根本性的改造。大清帝国屡战屡败的原因非常多，单从军事上来说，很重要的就是作战思想、作战指挥、体制编制等方面的僵化和落后，被时代远远抛在了后面。

谁思想保守、固步自封，谁就会陷于战略被动。

这段历史就是最好的例证。

渤海湾畔，雨雾蒙蒙。

2013年8月28日，习近平登上中国首艘航母辽宁舰。

海军辽宁舰舰长　张峥：

主席同志！

海军辽宁舰仪仗队，列队完毕，请您检阅！舰长张峥！

向右看齐！

习近平：

建设强大海军的光荣使命，做开创性的工作。

这是党的十八大后不到一年的时间里，习近平第三次视察海军部队。

海浪拍打战舰。习近平的话语振聋发聩：百舸争流，奋楫者先；中流击水，勇进者胜。我们不仅要赶上潮流、赶上时代，还要力争走在时代前列。

改革，是弄潮的历史自觉，也是直面问题的政治勇气。

2014年，来自当时七大军区的7个旅，挺进内蒙古草原深处，在一个叫做朱日和的地方，与我军第一支专业蓝军旅进行实兵对抗。

7支部队，大都是赫赫有名的劲旅。交战的结果却是六比一。蓝军大胜，红军惨败！

朱日和冲击波，震动了全军。

习近平尖锐地指出，要说有短板弱项，能打仗、打胜仗方面存在的问题就是最大的短板、最大的弱项，有的甚至可以说是致命的。令人揪心！不改革，军队是打不了仗、打不了胜仗的。

军委训练管理部部长　黎火辉：

朱日和系列演习暴露的问题，说明我们实战化还差得很远。多年没打仗，太平意识有所滋长。习主席反复强调军队是要打仗的。我认为，能打胜仗，正是这次改革的逻辑起点和核心指向。

军事上落后会被动挨打，而政治上蜕变则不打自垮。

野旷天低，风急雨骤。一场反腐风暴席卷全军。

中央电视台《新闻联播》：

中共中央决定给予徐才厚开除党籍处分，对其涉嫌受贿犯罪问题及问题线索移送最高人民检察院授权军事检察机关依法处理。

中央电视台《新闻联播》：

中共中央决定给予郭伯雄开除党籍处分，对其涉嫌严重受贿犯罪问题及线索移送最高人民检察院授权军事检察机关依法处理。

郭伯雄、徐才厚盘踞军队高层多年，扭曲了政治生态，毒化了军营风气。多少老同志痛心疾首：这还是我们那支曾经令敌人胆寒的威武之师吗？

习近平严肃指出：如果不通过改革从制度上根本解决问题，在一定条件下这些问题就可能死灰复燃，久而久之，军队就有变质变色的危险。

一切向前走，都不能忘记走过的路。要知道从哪里来，更要知道向哪里去。

2014年深秋，习近平率领400多名高级将领来到闽西古田，召开新世纪第一次全军政治工作会议，在人民军队当年脱胎换骨的地方汲取力量。

漫山红遍，层林尽染。温故知新，寻根溯源。

这是后继者对先驱者的缅怀追思，也是改革者对先行者的庄严承诺。

军委政治工作部副主任　禹光：

改革强军，首先要拨乱反正，激浊扬清。习主席在全军政治工作会议上一针见血指出了部队中、特别是领导干部中存在的突出问题。这些问题触目惊心，不解决，改革强军就无从谈起。习主席在关键时刻扶危定倾，挽救了人民军队，也为人民军队改革奠定了思想政治基础。

重整行装再出发。改革强军的大船，校正了前行的航向，扬起了奋进的风帆。

站在历史与时代的交汇点上，习近平的目光投向远方：这次深化国防和军队改革，是为了设计和塑造军队未来，既要立足当前，又要着眼长远，使它成为历史性、突破性的改革，为今后20年、30年国防和军队发展打下基础。

"这是我们回避不了的一场大考，军队一定要向党和人民、向历史交出一份合格答卷。"习近平和中央军委以强烈的使命担当、宏大的战略运筹、坚强的决心意志，统领三军开始改革强军的伟大进发。

2012年11月15日，习近平主持新一届中央军委第一次常务会议时就鲜明提出：始终以改革创新精神开拓前进，深入推进中国特色军事变革，努力夺取军事竞争主动权。

担任军委主席的当天，习近平就宣示了推进国防和军队改革的坚定意志和决心。

2013年11月，党的十八届三中全会召开。经习近平提议，党中央决定将国防和军队改革纳入全面深化改革的大盘子，上升为党的意志和国家行为。

深化国防和军队改革单独作为一个部分写进全会《决定》（《中共中央关于全面深化改革若干重大问题的决定》），这在党的历史上是第一次。

2014年3月15日，新华社一条电讯引爆互联网——习近平担任中央军委深化国防和军队改革领导小组组长。

党的总书记亲自担任深化国防和军队改革领导小组组长，这在党的历史上也是第一次。

两个"第一次"，是向党和人民立下的改革军令状，必将成为人民军队历史上的巍峨丰碑。

新华网副总裁　汪金福：

这个消息发出后，在互联网上引起普遍关注，不到两个小时，我们客户端的点击量就达到170万。同时，跟帖留言也有4万多条。我们分析这些跟帖留言发现，绝大多数网民，百分之九十以上吧，都表示支持和期待。这也说明广大网民对军改这个话题，非常关心。

这是一场迎难而上的跋涉，这是一次革故鼎新的起航。

在习近平的亲自筹划和指挥下，军委改革领导小组办公室、专项小组、专家咨询组陆续组建，一大批精兵强将汇聚一堂，历时一年零九个月的改革研究论证蹄疾步稳展开。

习近平曾经打过这么一个比方：小帆船可以在水里打转，绕几个弯又起来了，泰坦尼克号要是沉了，那就是真沉了。我们这样一个大国，这样一支军队，在改什么、不改什么问题上要有战略定力，决不能在根本问题上出现颠覆性错误。

"坚持用强军目标审视改革、以强军目标引领改革、围绕强军目标推进改革。"

"准确把握军事需求，使各项重大改革同新形势下军事战略方针一致起来。"

"牢牢把握坚持改革正确方向这个根本，牢牢把握能打仗、打胜仗这个聚焦点，牢牢把握军队组织形态现代化这个指向，牢牢把握积极稳妥这个总要求。"

习近平为深化国防和军队改革立起了根本指导。

习近平要求，在设计国防和军队改革方案前，要先听它个八面来风，把调查研究贯穿改革全过程。

习近平：

抗冰雪，斗严寒，爬冰卧雪，为祖国和人民在这里戍边，祖国和人民都不会忘记你们！

围绕研究和推进改革，他两次主持中央政治局集体学习，三次主持召开军委改革领导小组会议，多次当面听取有关大单位改革意见建议，亲自组织研究改革重大问题，还专门指示

"有什么好的想法，可以通过有关渠道向领导小组反映"。

习近平：

今天，我专门来到武警特警学院，为猎鹰突击队授旗，大家要按照强军目标的要求，严格训练，严格要求，严格管理。永远啊，做党和国家的忠诚卫士。大家有没有信心？

官兵：

有！有！有！听党指挥，能打胜仗，作风优良，永远做党和人民的忠诚卫士！

紫禁城西北角楼，以它巧夺天工的精美结构吸引着中外游客。

不远处这座明清风格的建筑，从2014年春天开始，每一个夜晚都灯火通明，与中南海、八一大楼的灯光交相辉映。习近平改革强军的战略构想，在这个当年他工作过的古朴小院变成一幅幅目标图、路线图、施工图。

九梁十八柱七十二条脊的故宫角楼，之所以成为建筑史上的奇迹，在于设计的科学精巧。作为一项庞大的系统工程，改革方案设计得科学不科学、精准不精准，直接关系改革成败。

军委改革和编制办公室副主任　何仁学：

我们这次改革不是简单地修修补补和局部改造，而是一次整体性革命性的变革。它既不同于人民军队历史上历次的改革，也有别于世界上其他国家军队的改革，没有现成的样板可以借鉴，难度之大是可想而知的。

体制性障碍在哪里？

结构性矛盾是什么？

政策性问题有多少？

多个改革专项小组和专家咨询组，从军内到军外，从国内到国外，广泛调研，集中智慧，反复论证。

数据是枯燥的，也是灵动的。

690余个军地单位，800余个座谈会、论证会，900多名在职和退休军地领导、专家，2165名军以上单位班子成员和师旅级部队主官，3400余条部队官兵意见，改革方案前后历经150多次调整、修改和完善……

改革，牵动着亿万颗心。出主意，提建议，献对策，军委改革和编制办公室每天都会收到很多来信。他们中间，有部队官兵，有地方领导，有专家学者，还有老红军、老战士……

军委改革领导小组专家咨询组成员　钟志明：

改革研究论证的目的是为了求解"最大公约数"。大家在重大问题上是有共识的，但是具体怎么改？一开始意见建议很多。比如，关于军委机关的设置，经过了很长时间的研究论证。最后，超过百分之九十的同志认为，这轮改革，四总部不动，是不可能成功的。

还在谋划改革之初，习近平就指出，要把握改革举措的关联性和耦合性，使各项改革相互促进、良性互动、相得益彰，形成总体效应，取得总体效果。

军委改革和编制办公室副主任　李汉军：

改革研究论证过程中，我们始终牢记习主席的指示要求，注重统筹谋划，从顶层和全局上设计改革的举措，做到四个服从——个体服从整体，局部服从全局，要素服从体系，小道理服从大道理。

北京香山脚下，一场特殊的"兵棋推演"在军事科学院展开，课题是"新的领导指挥体制运行流程"。

庞大的数据输入80多台电脑，一双双眼睛紧盯着屏幕上不断变化的态势。流程推导、案例验证、复盘研讨……这场推演持续了整整10天。

这是人民军队历史上首次运用计算机模拟技术辅助改革研究论证，有效增强了改革设计的科学性。

改革，这场没有硝烟的战争，始终在习近平亲自运筹指挥下稳步推进，始终牵动着党中央的心。

2015年，北京酷热难耐的时节，也是人民军队改革论证最为紧张的日子。从八一大楼到中南海，改革的路径在那个盛夏，一步步清晰。

7月14日、22日，习近平先后主持召开中央军委改革领导小组第三次会议和中央军委常务会议，审议并原则通过《深化国防和军队改革总体方案》。

7月29日，中央政治局常委会会议，正式审定通过改革《总体方案》。

一整套解决深层次矛盾问题、有重大创新突破、体现人民军队特色的改革设计破茧而出。

军委改革和编制办公室副主任　张宇：

最高统帅的政治决心和政治智慧，历来是改革成败的决定性因素。我在改革办这几年工作，感受非常深切。事关全局的重大决策，关键时刻的果断拍板，重要关口的坚定推进，都体现了习主席的胆略和担当。

恩格斯曾经在《论权威》一书中这样形容，一艘穿行在暴风雨中的航船，要想行稳致远，关键靠拥有绝对权威的优秀船长掌舵领航。

2015年11月24日，北京迎来了入冬后的第一场瑞雪。

中央军委改革工作会议在京西宾馆召开，习近平发出深化国防和军队改革的行动号令——全面实施改革强军战略，坚定不移走中国特色强军之路。

先改领导指挥体制，再调力量规模结构，政策制度配套跟上，梯次接续、压茬推进。

2020年前，在领导管理体制、联合作战指挥体制改革上取得突破性进展，在优化规模结构、完善政策制度、推动军民融合深度发展等方面改革上取得重要成果，努力构建能够打赢信息化战争、有效履行使命任务的中国特色现代军事力量体系，进一步完善中国特色社会主义军事制度。

谋民族复兴伟业，布富国强军大局，立安全与发展之基。一场浴火重生、开新图强的历史性变革，在中国大地蓬勃展开。

第八集 强军之路（下）

第八集《强军之路》（下）完整视频

沈阳、北京、兰州、济南、南京、广州、成都，七大军区在这个夜晚最后一次吹响熄灯号。

而当起床号响起的时候，东、南、西、北、中五大战区已经悄然运转。

起床号与熄灯号，以往用以分隔日夜。

如今，成了标记新旧两种体制的号音。

"如旱天惊雷！"这是新加坡《联合早报》在评价中国军队改革时的标题。

岁末年初，人民军队改革的集结号一次次吹响。

2015年12月31日，习近平向新成立的陆军领导机构、火箭军、战略支援部队授予军旗并致训词。

习近平：

成立陆军领导机构、火箭军、战略支援部队，是党中央和中央军委着眼实现中国梦、强军梦作出的重大决策，是构建中国特色现代军事力量体系的战略举措，必将成为我军现代化建设的一个重要里程碑,载入人民军队史册。

2016年1月11日,习近平接见调整组建后的军委机关各部门负责同志。

2016年2月1日,习近平向新成立的东部、南部、西部、北部、中部战区授予军旗并发布训令。

习近平:

我命令,各战区要牢记使命,坚决贯彻党在新形势下的强军目标,坚决贯彻新形势下军事战略方针,坚决贯彻军委管总、战区主战、军种主建的总原则,建设绝对忠诚、善谋打仗、指挥高效、敢打必胜的联合作战指挥机构。

复兴门外的八一大楼,接连见证了一个个历史性瞬间。

短短一个月时间,人民军队在看似波澜不惊中,跨出了石破天惊的一大步。

深化国防和军队改革千头万绪,必须牵住牛鼻子。习近平把改革的突破口,放在了打破总部体制、大军区体制和大陆军体制上,下的第一手重棋就是再造领导指挥体制。

军委改革领导小组专家咨询组副组长　蔡红硕:

这次改革的关键词,就是军委管总、战区主战、军种主建,这是改革的总原则,也是最大的创新、最大的亮点。要解决的问题,就是立足党情国情军情,在新形势下做到三个确保——确保党对军队的绝对领导,确保军委高效指挥军队,确保军委科学谋划和加强部队建设管理。

邓小平当年酝酿百万大裁军时曾说:"怎么减法,请大家出主意，我只讲总部带头。"

时光流转，中国军队的新一轮改革，最先"动刀子"的地方，又是总部。

军事科学院专家　陈舟：

总部制在历史上曾发挥了重要作用。随着形势和任务的发展变化，这种体制存在的问题日益凸显，职能泛化、条块分割、政出多门、相互掣肘、战略功能不强的问题比较突出。

习近平的话语掷地有声——军委机关调整组建是整个领导指挥体制改革的龙头，是这轮改革中最具革命性的改革举措。

改革之难，难在冲破思想观念的束缚，难在突破既得利益的羁绊。

有些痛，必须忍。有些关，必须闯。

一声令下，雷厉风行。四总部告别历史舞台，军委机关15个部门全新登场。其中，正师级以上机构减少200多个，人员精简三分之一。

这里是新成立的军委机关事务管理总局，军委机关各部门的经费、房产甚至每一台车辆的运行，都由这个部门统一管理保障。

军委机关事务管理总局局长　刘志明：

过去，四总部机关保障各自一摊，大而全、小而全。这次改革，从体制上进行了调整，收缩了摊子，压减了员额，有效解决了以往标准不一、苦乐不均、资源浪费等问题，实现了集约保障和规范管理。

军委机关调整改革，实质上是对我军战略领导、战略指挥、战略管理体系的一次全新设计。

把总部制改为多部门制，指挥、建设、管理、监督等路径更加清晰，决策、规划、执行、评估等职能配置更加合理，更加聚焦战略谋划和宏观管理职能，使军委机关真正成为军委的参谋机关、执行机关、服务机关。

改革，开启了战斗力和人民军队活力迸发的闸门。

改革，同样需要把奔涌的洪流导向既定的河道。

2014年10月27日，习近平签署命令，解放军审计署由总后勤部划归中央军委建制。

一年之后，军委纪委、军委政法委、军委审计署出现在了新调整组建的军委机关序列中。向军委机关部门和战区分别派驻纪检组，全部实行派驻审计，巡视和审计监督实现常态化、全覆盖。调整军事司法体制，按区域设置军事法院、军事检察院，保证依法独立公正行使职权。

体制一变天地宽。抓住治权这个关键，高悬纪检、巡视、审计"三把利剑"，深入推进依法治军、从严治军，中国军队治军方式正在发生根本性转变。

2016年4月19日，农历谷雨。雨生百谷，这是一年之中播种移苗的最佳时节。

第二天，一身绿色迷彩的习近平视察军委联合作战指挥中心，首次以"军委联指总指挥"的身份出现在公众视野。

中央军委联合作战指挥中心的成立，标志着中国军队联合作战指挥体制在希望的春天里，抽枝发芽。

卫国战争之初，面对德国法西斯的闪击战，苏军一败再败。

时任苏军总参谋长的朱可夫回忆："在那些日子里，总参谋部总是落后，总是延误时间，总是采取过时的决定。"斯大林追问："为什么总是落后？"朱可夫回答："我们现行的这种指挥体制，不落后是不可能的！"

军队能不能打仗、能不能打胜仗，指挥是一个决定性因素。

习近平说："建立健全军委联合作战指挥机构和战区联合作战指挥体制，要有紧迫感，不能久拖不决。"

紧迫忧思，凸显深远战略考量。加快建立联合作战指挥体制，成为改革的重中之重。

军委联合参谋部副参谋长　马宜明：

建立健全军委、战区两级联合作战指挥机构，构建了平战一体、常态运行、专司主营、精干高效的战略战役指挥体系，重塑了人民军队的指挥架构，使人民军队联合作战指挥体制迈出了关键的一步。

联合！联合！在这个冰雪消融的春天，联合的战车陡然提速。

南部战区司令员　袁誉柏：

这次改革把联合作战指挥的重心放在战区，把部队建设管理的重心放在军兵种，战区专司主营，研究打仗，指挥作战。战区和军区虽然只有一字之差，却存在本质上的差别。

全系统全要素参与，陆海空天电全维展开，这是中国军队新体制下的一次联合战役演习。

东部战区副司令员兼东部战区空军司令员　黄国显：

过去军区也经常搞联合演习，实际还是临时"搭班子"，陆军打天下、唱主角。不突破大陆军体制，抛弃大陆军思维，就难以实现真正的联合作战、联合制胜。

庙算如博弈，落一子而全盘活。

庞大的陆军，无疑就是改革这盘大棋的一个棋眼。

2016年"八一"前夕，当习近平视察新组建的陆军领导机关时，我国陆军转型的新纪元已经开启。

陆军司令员　李作成：

这次军队改革，陆军变化非常大，成立了陆军领导机构。大幅压减了陆军规模，调整优化了结构布局，陆军占全军总员额的比例降到了50%以下。割肉瘦身是为了转型重塑，使我们这支体量最大的传统陆军，真正成为一支强大的现代化新型陆军。

成立陆军领导机构，为军委机关调整改革创造了条件，为构建联合作战指挥体制铺平了道路，为加速陆军转型发展插上了翅膀，起到了"一箭三雕"的作用。

改革首战定局，"军委—战区—部队"作战指挥体系和"军委—军种—部队"领导管理体系，立起了人民军队新体制的"四梁八柱"。

2016年7月26日，中央政治局进行第三十四次集体学习，专门听取深化国防和军队改革情况。习近平指出，改革势头很好，要再接再厉，扎扎实实把后续改革推向前进。

当又一个飘雪的季节来临，2016年12月2日至3日，中央军委军队规模结构和力量编成改革工作会议在京召开。

战鼓催征，又一场攻坚战开始了。

2017年4月18日，习近平接见全军新调整组建的84个军级单位主官。

10天之后，国防部例行记者会披露，陆军18个集团军番号撤销，调整组建后的13个集团军番号同时公布。

国防部新闻发言人　杨宇军：

中央军委决定，以原18个集团军为基础，调整组建13个集团军。

外电评论，这是中国推进军事现代化的最新努力，解放军将改革成为一支实战化的精锐部队。

国防部新闻发言人发布的信息，只是中国军队规模结构和力量编成改革的冰山一角。在新调整组建的军级单位中，还包括海军、空军、火箭军、战略支援部队中的诸多新型作战力量。

这是人民军队力量体系一次跨时代的全面重塑。

习近平深刻指出，军队规模结构和力量编成，必须随着战争形态和作战方式变化而变化，随着国家战略需求和军队使命任务变化而变化。否则，曾经再强大的军队最后也要落伍，甚至不堪一击。

军委改革领导小组专家咨询组成员　郑勤：

规模结构和力量编成改革，不是单纯的撤并降改，而是结构功能的优化，牵引规模的调整，推进人民军队由数量规模型向质量效能型、由人力密集型向科技密集型转变，推进部队的编成向充实、合成、多能、灵活的方向发展。这既是瘦身，更是强体。

新结构催生新战力，新编成锻造新利剑。

一场夺岛演习在暴风雨来临时打响了。硝烟之中，新调整组建的海军陆战队出现在演兵场上。脱下"陆军绿"，换上"海军蓝"，身后的大山越来越远，眼前的大海越来越近。

指挥层级更扁平，作战编组更灵活，合成化、模块化程度更高。改革后的每一支部队都向着这个目标迈进。

与此同时，这轮改革加快了武器装备更新换代步伐，以三代装备为主体、四代装备为骨干的武器装备体系正在形成。

第一艘国产航母下水，歼-20、运-20亮相，海空军常态警巡东海、战巡南海，火箭军跨区战备拉动不间断……战略预警、远海防卫、远程打击、战略投送、信息支援等新型作战力量在变革中得到充实加强。

改革的雷电，总是在历史的风雨中孕育。

当年，抗美援朝战争结束后，让人民军队认识到了现代后勤的重要性。周恩来总理当时就提出实行三军联勤体制的设想。

然而，人民军队的联勤之路走得并不平坦。

建设一切为了打仗的后勤，成为这次改革的一个重点。2016年9月13日，中央军委联勤保障部队成立。习近平向武汉联勤保障基地和5个联勤保障中心授予军旗并致训词。

习近平：

你们要聚焦能打胜仗，牢固树立战斗队思想，深化军事斗争后勤准备，加快融入联合作战体系，不断为强军兴军作出新的更大的贡献。

武汉联勤保障基地司令员　李士生：

按照联合作战的要求，这次改革优化整合了后勤保障力量，健全了联勤保障体制，由过日子的后勤向打仗型后勤转变，确保随时拉得出、上得去、保得好。

2016年元旦刚过，习近平来到当时的第13集团军营区。这是习近平在中央军委改革工作会议之后第一次外出视察。他告诫说："要坚持解放思想、与时俱进、改转并行，主动来一场思想革命，从一切不合时宜的思维定势、固有模式、路径依赖中解放出来，防止穿新鞋走老路。"

在此后的日子里，习近平先后到战略支援部队机关、火箭军机关、65集团军、南部战区陆军机关、海军机关等单位视察调研，引领全军更好地理解改革、适应改革，推动改革落地见效。

习近平：

军队只有夯实基层，才能真正强军。

一场被称为"观念突围"的"新体制、新职能、新使命"大讨论在全军深入展开。

与此同时，助推新体制落地运行的军委机关协调机制也开始启动，制定军委机关行文规则，研究制定权力责任清单，协调解决具体矛盾问题，深入推进改革后的"二次创新"。

重构重塑后的人民军队，对高素质新型军事人才的需求比历史上任何时候都更加强烈。

2016年早春，习近平视察国防大学。

他强调，实现强军目标，建设世界一流军队，我军院校建设必须有一个大的加强。

这轮改革，以重塑国防大学、国防科技大学为牵引，调整结构布局，优化资源配置，改革培养模式，全军和武警部队院校由77所调整为43所，构建起以联合作战院校为核心，以兵种专业院校为基础，以军民融合培养为补充的院校布局。军队院校教育、部队训练实践、军事职业教育三位一体新型军事人才培养体系正在形成。

1958年，美国五角大楼创立国防高级研究计划局DARPA，负责军事领域的高新科技研发。人们熟知的因特网、全球定位系统、隐形战机、电磁炮、激光武器等先进技术，大多与DARPA有关。

当今世界，科技创新已经成为军事竞争的核心要素。

"我们要赢得军事竞争主动，必须下更大气力推进科技兴军。"面对科技迅猛发展对世界军事发展走向的深刻影响，习近平要求全军，向科技创新要战斗力。

2017年，中国军队中一个崭新的机构——中央军委军事科学研究指导委员会诞生。连同此前成立的军委科技委，我国国防和军队科技创新有了全新的顶层架构。

与此同时，军事科学院重新调整组建。以军事科学院为龙头、军兵种研究院为骨干、院校和部队科研力量为辅助，我国军事科研力量"航母编队"正式启航。

2017年7月19日，习近平向新调整组建的军事科学院、国防大学、国防科技大学授军旗、致训词，并接见军队院校、科研机构、训练机构主要领导。

习近平：

调整组建新的军事科学院、国防大学、国防科技大学，是党中央和中央军委着眼实现中国梦、强军梦作出的重大决策，是推进改革强军、构建我军新型军事人才培养体系和军事科研体系的战略举措，必将对加快推进国防和军队现代化、把我军建设成为世界一流军队产生重大而深远的影响。

中央电视台《新闻联播》：

中共中央政治局1月22号召开会议，决定设立中央军民融合发展委员会……中共中央总书记习近平主持会议。

外媒敏感地注意到，新设立的中央军民融合发展委员会由习近平任主任。

军民融合发展既是兴国之举，又是强军之策。这几年，在全国人大解放军代表团全体会议上，习近平多次谈到这个问题。

党中央把军民融合发展上升为国家战略，成立中央军民融合发展委员会，为实现富国和强军相统一，提供了科学的顶层设计和制度保证。

中共中央、国务院、中央军委印发《关于经济建设和国防建设融合发展的意见》。国务院、中央军委制定《经济建设和国防建设融合发展"十三五"规划》。一百多个军民融合协作区、示范基地、科研中心遍布全国，涵盖航空航天、船舶车辆、机械制造、电子信息等行业。

全要素、多领域、高效益的军民融合深度发展格局正在形成。

北京公主坟，驻京部队大院集中地。细心的人们发现，如今这个繁华商圈冷清了许多，租用部队房屋的数百家商户不见了。

雄鹰的翅膀挂上黄金，将无法高飞。

2016年2月16日，中央军委下发《关于军队和武警部队全面停止有偿服务的通知》。习近平说，这实际上是一个政治决定。不要光考虑那几个钱，还要考虑那几个钱可能会对部队战斗力带来的损害和对部队风气带来的腐蚀、侵蚀。

军委后勤保障部副部长　钱毅平：

习主席果断决策，军队和武警部队全面停止有偿服务，就是在树立一个鲜明的导向——军队的根本职能就是打仗。

让一切战斗力要素的活力竞相迸发，让一切军队现代化建设的源泉充分涌流。

研究论证新的文职人员条例，扩大文职人员编配范围，延揽更多社会优秀人才为军队建设服务，是这次军队改革的一大亮点。

官兵有所呼，改革有所应。组织修订军官法、兵役法，研究制定士官条例、义务兵条例；提高军人工资待遇保障水平，推进军费管理、军人工资、住房、医疗保障等方面改革；健全退役军人管理保障体制机制，构建完善军人荣誉制度体系……

一系列体现军事职业特点、增强军人职业荣誉感自豪感的政策制度，正在加紧酝酿推出。

巨变无声。一支英雄部队的经历，浓缩了改革的阵痛和担当。

1949年5月27日，上海解放。成千上万的市民推开家门。细雨中，屋檐下，一排排解放军抱着枪和衣而卧。这支部队就是三野第27军。

几乎相同的一幕，重现在66年后的一个冬日。

当清晨的阳光唤醒睡梦中的石家庄，人们没有察觉到，与他们相伴了将近半个世纪的英雄部队，已经悄然离开。

这是官兵告别老营区时的画面。

一双双眼睛噙着泪花，偌大的广场，寂静无声。

作为全军第一个因改革调整驻地的军级单位，第27集团军军部从河北移防山西。

这一轮改革，全军团以上建制单位机关减少1000多个，非战斗机构现役员额压减近一半，军官数量减少30%；几十支部队移防部署，三天之内开拔；数百名将军调整岗位，接到命令当天报到……

改革，归根到底是自我革命，是壮士断腕，是换羽新生。

从关中平原到西北大漠，从天府之国到雪域高原，从江南水乡到岭南山区……离开繁华都市来到边陲小城，告别父母妻儿走向陌生远方，只要改革需要，打起背包就出发。无论是转业退役、分流转岗，还是高职低配，只要一声令下，哪里需要哪里去。

部队转隶撤并时的一幕幕，令一位老军人感慨万千。

他就是战上海时的27军79师235团七连指导员，后来担任过中央军委副主席的迟浩田上将。

中央军委原副主席　迟浩田：

我们这支军队最大的特点就是听党指挥、令行禁止。当年打胜仗靠的是这一点，今天搞改革也靠这一点。不论是军队的老同志，地方的老同志，大家一谈起来，异口同声地都赞扬以习近平同志为核心的党中央。这样讲，党叫到哪里就到哪里，党叫怎么改就怎么改。一切行动听指挥。

时间，就像飞驰而过的高速列车，改革强军之路上的中国军队面貌一新。

领导管理体制实现历史性变革；

联合作战指挥体制取得实质性突破；

规模结构和力量编成实现体系性重塑；

联勤保障体制改革完成关键跨越；

军队院校、科研机构、训练机构改革迈出坚实步伐；

军民融合发展等改革取得重要进展；

武警部队改革正在部署展开。

深化国防和军队改革按计划、有步骤扎实推进，2017年完成改革阶段性任务。

2020年前，对相关领域改革作进一步调整、优化和完善，持续推进各领域改革。政策制度改革，成熟一项推进一项。

中央全面深化改革领导小组办公室常务副主任　穆虹：

这次国防和军队改革，大刀阔斧，雷厉风行，力度空前，从深度和广度上都出乎国内外的意料。

美国媒体称"这是中国60年来最大一次军事改革"。

德国媒体说"中国军队将变得更强大"。

90年前那个夏日凌晨，南昌城头的枪声宣告了一支新型人民军队的诞生。

征途漫漫，风雨兼程。

向前！向前！向前！今天，人民军队正在以习近平同志为核心的党中央领导下，阔步行进在改革强军的新征程上，把光荣与梦想写在广袤的国土，写在辽阔的大洋，写在浩瀚的苍穹……

改革未有穷期，强军正在路上。

"9·3"阅兵 《强军战歌》：

听吧　新征程号角吹响
强军目标召唤在前方
国要强　我们就要担当
战旗上写满铁血荣光
将士们　听党指挥

能打胜仗　作风优良

不惧强敌　敢较量

为祖国决胜疆场

决胜疆场

第九集 党的自我革新

第九集《党的自我革新》完整视频

清晨，阳光伴着早春的微风袭来，人们仿佛能听到树枝上新芽抽出的丝丝声音。嫩绿的叶子告诉人们，又一个春天到了。

75岁的魏善民是这里的护林员。他说，春天是修剪树枝的最佳时节。

护林员　魏善民：

你看这棵树，比方这一枝，它生虫了，它一生虫，你必须得剪掉它。不剪掉它的话，整个这个树林慢慢传染，一传染就不行了，这个树林就毁了。这棵树是焦书记亲手栽的，我已经看40多年了。

这棵泡桐树是1962年时任兰考县委书记的焦裕禄亲手栽下的。兰考群众为了纪念这位人民的好书记，将这棵泡桐树亲切地称为"焦桐"。

"百姓谁不爱好官？

把泪焦桐成雨。

生也沙丘，死也沙丘，父老生死系。

暮雪朝霜，毋改英雄意气！

……"

1990年，习近平在福州担任市委书记时，夜读《人民呼唤焦裕禄》一文，有感而发，写下了这首《念奴娇·追思焦裕禄》。

此后，习近平又三次来到兰考。他不仅在这里亲手栽下了一棵泡桐，还特意将兰考作为第二批群众路线教育实践活动的联系点。

习近平总书记：

焦裕禄精神仍然是我们现在需要弘扬、需要秉承的一种精神，因为它体现了共产党人的精神，体现了我们党的宗旨。475天它就凝聚成一个永恒，只要我们搞中国特色社会主义，只要我们还是共产党，我们就会坚持这种精神。

从陕北梁家河到河北正定，从福建到浙江，从上海到北京，一路走来，人民群众的冷暖与期盼，党长期执政面临的挑战和压力，沉淀在习近平的心中，成为他带领新一届党中央担负起最大责任的认识起点。

铁一般的信仰，铁一般的信念，铁一般的纪律，铁一般的担当——这是习近平总书记对领导干部的要求，也是对全党的要求。

因为，只有这样的中国共产党人，才能砥砺前行，才能淬炼成钢。

历史总是会提出一道道时代的命题。

答题者，谓之"赶考"。

"赶考"路上，新的重大考验不断扑面而来。

执政考验、改革开放考验、市场经济考验、外部环境考验和精神懈怠的危险、能力不足的危险、脱离群众的危险、消极腐败的危险，摆在了中国共产党面前。

站在新的历史起点上，面对国内国际格局深刻变动，中国社会深刻变革，社会思想深刻变化，前进道路上不确定、不稳定、不安全因素增多，难以预见的风险矛盾频发和重重叠加，中国共产党如何带领13亿人民走出历史发展的周期律？

一个长期执政的大党如何保持生命力？这是一道世界性的考题。

这道考题，中国共产党也绕不过去。

党的十八大以来，以习近平同志为核心的党中央，把全面从严治党纳入"四个全面"战略布局，以自我革命的勇气，解决党的领导弱化、党的建设缺失、全面从严治党不力的问题。

破藩篱，去顽疾，立规矩，建制度，正风气，全面深化党的建设领域改革大幕由此拉开。

人们也许还记得，2012年12月4日晚上七点，《新闻联播》的片头曲如约响起。然而，很多人也许并没有意识到，这天晚上，《新闻联播》一条新闻将给未来的中国带来巨大的撞击。

中央电视台《新闻联播》：

中共中央政治局12月4日召开会议，审议中央政治局关于改进工作作风、密切联系群众的八项规定……

十八届中央领导集体在工作开局之初便从作风建设破题，首先从中央政治局做起。

习近平总书记：

我们的责任，就是同全党同志一道，坚持党要管党、从严治党，切实解决自身存在的突出问题，切实改进工作作风，密切联系群众，使我们党始终成为中国特色社会主义事业的坚强领导核心。

以上率下，全党共同行动，狠抓中央八项规定精神落实，坚决纠正"四风"。

然而一些党员干部甚至党的高级干部，却背离了党的理想信念宗旨，忘记了我们民族的历史经验和教训，付出了沉重的代价。

韩先聪，从2013年1月起任安徽省政协副主席。在中央八项规定和反"四风"实施后，他仍多次出入高档酒店和私人会所，违规接受党政干部、国企老总、私企老板的宴请。在中央纪委对他宣布立案审查决定的当天，他的手机信息显示，这一天他已有两场约好的饭局，中午晚上各一次。

安徽省政协原副主席　韩先聪：

我就是2013年的下半年到2014年案发的时候，有多少次的宴请，接受宴请都是这种情况，就是觉得这个好像不会有太大的问题，不会被发现的，侥幸的心理，不会被发现。另外，长时间的那种惯性推动。还有一条就是，想给自己拉拉关系，给自己铺铺路子。

从一件件小事抓起，驰而不息。

抓作风、改作风，是党的十八大以来全面从严治党的重要突破口。

党中央以鲜明的立场，顽强的意志品质，言必信、行必果，言出纪随，寸步不让。党的十八大以来，截至 2017 年 5 月底，全国共查处违反中央八项规定精神问题 17.04 万起，处理 23.11 万人，给予党纪政纪处分 12.27 万人，其中包含省部级干部 20 人。

2013 年 4 月 19 日，中央政治局召开会议，决定从 2013 年下半年开始，用一年左右时间，在全党自上而下分批开展党的群众路线教育实践活动。

其目的就是要从思想上补足共产党人逐渐流失的理想信念精神之钙，唤起全心全意为人民服务的宗旨意识。

中央纪委副书记　监察部部长　杨晓渡：

我们现在面对的这些考验，其实一点不比战争年代小，只是形式不同而已。党员如果不能增强自己的党性，如果不能面对现实的腐蚀的挑战、围猎的风险，那么就有可能背离自己的宗旨，把手中的权力用于非正当的用途。

开展"三严三实"专题教育，推进"两学一做"常态化、制度化，落实意识形态工作责任制，从上到下，由内而外，用信仰塑造灵魂，标本兼治，固本培元，凝聚全党的力量。

党的十八大以来，党中央围绕管党治党提出要求、作出部署、展开行动。

伟大的改革时期，作为执政的中国共产党，面对暴露出的问题，刀刃向内，自我刮骨疗毒，坚持有腐必反、有贪必肃，无禁区、全覆盖、零容忍，坚决遏制腐败蔓延势头。

习近平总书记：

全党同志在思想上一定要搞清楚一个问题，就是为什么要坚定不移反对腐败。人民把权力交给我们，我们就必须以身许党许国、报党报国。该做的事就要做，该得罪的人就得得罪。不得罪成百上千的腐败分子，就要得罪13亿人民。

国旗护卫队：

正步走（亮剑）

法庭现场：

审判长：被告人周永康，犯受贿罪，判处无期徒刑。

（2015年6月11日，周永康一审被判处无期徒刑）

周永康：我服从法庭对我的判决，我不上诉。我认识到自己违法犯罪的事实给党的事业造成的损失，我再次表示认罪悔罪。

审判长：被告人薄熙来，判处无期徒刑。

（2013年9月22日，薄熙来一审被判处无期徒刑）

（2016年7月25日，郭伯雄一审被判处无期徒刑）

（2015年3月15日，由于徐才厚病亡，根据相关法律规定，对其不起诉，其涉嫌受贿犯罪所得依法处理）

审判长：被告人令计划，判处无期徒刑。

（2016年7月4日，令计划一审被判处无期徒刑）

审判长：被告人苏荣，决定执行无期徒刑。

（2017年1月23日，苏荣一审被判处无期徒刑）

审判长：被告人白恩培判处死刑，缓期二年执行，在其死刑缓期执行二年期满，依法减为无期徒刑后，终身监禁，不得减刑假释。

（2016年10月9日，白恩培一审被判处死刑缓期二年执行）

蒋洁敏：我认罪，悔罪，供认不讳。

（2015年10月12日，蒋洁敏一审被判处有期徒刑16年）

李春城：人生都是现场直播，没有办法重来，我应该接受处罚。

（2015年10月12日，李春城一审被判处有期徒刑13年）

朱明国：向党悔罪和谢罪。

（2016年11月11日，朱明国一审被判处死缓）

中央严肃查处周永康、薄熙来、郭伯雄、徐才厚、令计划、苏荣等严重违纪案件，坚决查处腐败官员，彰显了党中央尊崇党章、严肃党纪、推进全面从严治党、坚决惩治腐败的鲜明态度和坚定决心。

习近平总书记：

一些不正之风和腐败问题影响恶劣、亟待解决。全党同志要深刻认识反腐败斗争的长期性、复杂性、艰巨性，以猛药去疴、重典治乱的决心，以刮骨疗毒、壮士断腕的勇气，坚决把党风廉政建设和反腐败斗争进行到底。

2014年1月22日召开的首次中央深改领导小组会议决定，在六个分领域小组中，将党的纪律检查体制改革单列一组。

这一信息的披露，立刻受到国内国际的广泛关注。

而在此后经中央政治局审议通过的《党的纪律检查体制改革实施方案》，更是明确了纪律检查体制改革的时间表和路线图。党委负主体责任，纪委负监督责任，强化上级纪委对下级纪委的领导。

以改革推动纪检监察机关聚焦主责主业、强化监督执纪问责，成为全面从严管党治党的关键一招。

中央纪委副书记　监察部部长　杨晓渡：

党的纪检监察体制改革与其他方面的改革是密切相关、缺一不可。它包括党风廉政建设和反腐败工作在内的党的建设，这个是推进各项改革的一个重要保证。将纪检监察体制改革专设一个小组，充分体现了以习近平同志为核心的党中央全面从严治党的坚强决心，充分体现了对党风廉政建设和反腐败工作的高度重视。

协调推进"四个全面"战略布局是一项伟大的工程。党的十八届三中全会明确提出，必须"提高党的领导水平和执政能力，确保改革取得成功"，"全面深化改革，需要有力的组织保证和人才支撑"。

这深刻揭示了推进国家治理体系和治理能力现代化，必须提高党的执政能力的客观要求。

中央组织部常务副部长　陈希：

这个总目标的中心要素有两个，一个是制度，一个是能力。这都取决于党的领导水平和执政水平，取决于高素质的党员干部队伍。正因为如此，党的建设制度改革，既是全面深化改革的重要内容，又是全面深化改革的重要保障。

在全面深化改革过程中，涉及的问题错综复杂、相互牵连，牵一发而动全身。

执政的核心要素就是如何选人用人。

2013年末，湖南衡阳破坏选举案被查处，有十多名县市区委书记一夜被免。这在中国共产党的历史上还是首次。

2014年下半年，四川南充拉票贿选案被披露，四百多人涉案其中，再次震惊全国。

2016年9月，十二届全国人大常委会第二十三次会议表决通过了关于辽宁省人大换届选举产生的部分十二届全国人大代表当选无效的报告，更是开了人大常委会的先河。

在此之前，辽宁政坛迎来深度震动。

2011年10月，在辽宁省委十一届一次全会上，时任沈阳市委副书记苏宏章通过拉票贿选当选省委常委；2013年1月，辽宁省十二届人大常委会换届选举，时任阜新市委书记王阳、时任省财政厅厅长郑玉焯，通过拉票贿选当选省人大常委会副主任。在这一次会议上，有45名全国人大代表候选人通过拉票贿选当选。

辽宁拉票贿选案，涉及党员干部人数之多、情节之恶劣、性质之严重，令人震惊。

辽宁省委原书记　王珉：

对辽宁的拉票贿选和辽宁的政治生态的恶化，我承担政治责任、主要领导责任和直接责任。我应该向党中央、向辽宁干部群众忏悔。

忏悔，洗清不了被熏染的政治生态。

作为一个具有96年历史的马克思主义政党，中国共产党的伟大，不在于不犯错误，而在于从不讳疾忌医，敢于直面问题，勇于自我革命，具有极强的自我修复能力，始终保持了承认并改正错误的勇气，一次次拿起手术刀来革除自身的病症、解决自身的问题。

这种能力，既是中国共产党区别于世界上其他政党的显著标志，也是我们党长盛不衰的重要原因。

这是一份《关于防止干部"带病提拔"的意见》。它以及中央2014年1月14日印发修订后的《党政领导干部选拔任用工作条例》等，直击选人用人之弊的要害。

中央组织部干部监督局局长　王维平：

中央对汲取辽宁和衡阳、南充这几个典型案件的教训，提出了明确的要求，要求各级党委切实履行管党治党的责任。从组织部门来说，就是加强对主要领导干部多方面、多层次、立体式地去考察了解。

改革选人用人体制机制，坚持党管干部原则，充分发挥党组织领导和把关作用，改进推荐考察办法，多从谈话调研中听民意，多从口碑中看德行，真实了解民意，正确集中民意。这样才能提高民主质量，也才能把更多的好干部选出来。

沈阳市南湖街道文安路社区书记　胡静琴：

我们现在心里有杆秤了。一定是把那些确实对党忠诚、确实是为老百姓想事干事、咱们老百姓信赖的人，把他选进来。

如果能干务实的干部不能通过自己的勤勉努力被认可、被提拔，心灰意冷的就不只是干部。

在干部选用这个问题上，挡住投机者是第一步。

如何鼓励改革创新者，推动能者上、庸者下、劣者汰，则是关键的下一步，就是能上能下。

浙江省委组织部副部长　张学伟：

能上不能下的问题，一直是深化干部人事制度改革的一个重点和难点问题。需要解决的都是难啃的硬骨头。这个时候，尤其需要我们要有一种明知山有虎、偏向虎山行的勇气。

叶茂，曾经是浙江省丽水市最年轻的一名副县长，由于工作业绩不佳，被调整到了一家市属企业当副总。

当时，叶茂感受到了干部"能下"给自己带来的一种从未有过的失落感。

浙江省丽水市汽车运输集团董事长　叶茂：

原来是在一个政府部门作为一个分管的领导，到一个副总，我觉得这个也是难以避免的，是有一些落差的。

《推进领导干部能上能下若干规定（试行）》，集中规范了干部"下"的六种渠道，特别是对不适宜担任现职干部的十种情形作了清晰的规定。

党的十八大以来，截至2016年底，全国运用《规定》已调整干部60845人，其中中管干部94人，厅局级干部1477人，县处级干部15656人，乡科级干部43648人。

用好考核评价的指挥棒，把干部的智慧、能力引导到为人民服务、为人民谋利益的正道上来，使百姓在党的建设制度改革中增加获得感。改革干部政绩考核机制，成为党的建设制度改革的重中之重。

中央组织部常务副部长　陈希：

指挥棒，我的理解就是导向，让那些踏实肯干，有改革创新精神又干净——总书记讲的忠诚干净担当的干部，能够更好地用起来，那么大家就会向这方面去努力。所以我觉得十八大以后党中央一方面强调要完善制度体系，一方面特别地强调制度的执行。

2014年印发的《党政领导干部选拔任用工作条例》，对"裸官"有了更明确的定义。《条例》规定，配偶已移居国（境）外；或者没有配偶，子女均已移居国（境）外的，不得列为提拔考察对象。

清晰的界定，严格的约束，从源头上扎紧制度的笼子。

近三年来，全国共排查出副处级以上配偶移居人员5000多人，其中对1300多人进行了岗位调整。

党的纪律检查体制改革和党的建设制度改革一样，不是修修补补，而是在"四个全面"战略布局下整体推进。

改革完善监督体制机制，在纪委书记提名考察、线索处置、立案审查等方面强化上级纪委对下级纪委的领导。这一改革举措加速成型、出台，被外界普遍认为是强化党内监督专责机关权威、破解地方党政一把手监督难题的利器。

巡视组来了！

2013年11月，党的十八届三中全会在部署全面深化改革任务时明确要求，改进中央和省区市巡视制度，做到对地方、部门、企事业单位巡视全覆盖。

习近平总书记：

巡视成为全面从严治党的重要支撑，凸显了党内监督制度的力量。巡视发现的问题触目惊心，主要表现在违反政治纪律、破坏政治规矩，违反党章要求、无视组织原则，违反廉洁纪律、寻租腐败严重，"四风"屡禁不绝、顶风违纪多发。针对发现的问题，我们坚持标本兼治，剑指问题，倒逼改革。

党的十八大以后的中央巡视，在有效解决过去巡视任务宽泛、内容发散问题的基础上，不断聚焦管党治党的突出问题，深化政治巡视，实行一届任期内巡视全覆盖，探索推动中央和国家机关巡视、市县巡察。

经过几年的探索实践和两次修订修改，《中国共产党巡视工作条例》正式将这些理论和实践创新成果形成固化的制度。

2016年6月29日上午，中央第三巡视组进驻天津，对天津开展巡视"回头看"。时任天津市委代理书记、市长的黄兴国早早地站到了门外，等候巡视组的到来。

此时的黄兴国也许把巡视"回头看"理解成了"回眸一笑"。然而，两个半月后，他的政治生命彻底终止在了中央巡视杀的"回马一枪"上。

2016年9月10日晚十点半，中央纪委对外发布消息：天津市委代理书记、市长黄兴国涉嫌严重违纪接受组织调查。

早在2014年到2015年间，十八届中央巡视组第一次巡视天津之后，黄兴国还以吃请、赠送名表等贵重礼物的方式，打探另一名巡视发现的涉案高官的案情线索。

而黄兴国关心的这名涉案高官，正是人称"武爷"，时任天津市政协副主席、市公安局局长的武长顺。

武长顺是2015年2月中央巡视组第一次进驻天津后，接到群众举报被查处的。根据中央纪委发布的消息，人们平时所熟知的各种违纪违规行为，武长顺几乎无一遗漏。

天津市政协原副主席　公安局原局长　武长顺：

"两面人"，白天一个面孔，晚上一个面孔，就是说在大庭广众之下，就是自己阳光的一面，自己正人君子的一面。别人看不到的时候，自己就干自己那些违法违纪的事情，有侥幸心理。

魔高一尺，道高一丈。

在全面从严治党的利剑下，武长顺和他的上司黄兴国，都必将为他们的"两面人"做派和行为付出惨痛的代价。

天津市委原代理书记　原市长　黄兴国：

第一次巡视了，第二次再来个"回马枪"，这一招很厉害。理想信念动摇，打自己的小算盘，出问题了，私欲膨胀。根本的原因，根子上是这个问题——丧失了党性原则，一步一步地放松自己，才走到今天。

随着巡视工作不断创新方式方法，从常规巡视到专项巡视，从杀"回马枪"到"机动式"巡视，改革后的巡视体制机制，震慑、遏制、治本作用得到充分显现，真正体现了"利剑高悬、震慑常在"。

中央巡视工作领导小组办公室主任　黎晓宏：

十八大以后通过三次深化实现了巡视工作不断创新。第一次深化是通过发现问题形成震慑，着重于发现"四个着力"方面的问题。第二次深化是着重发现"六项纪律"，同时结合"四个着力"，重在遏制作用。第三次深化是着重发现党的领导弱化、党的建设缺失、全面从严治党不力这三大问题，重在政治巡视，着重发挥它的治本作用。

随着一届任期内中央巡视全覆盖的完成，市县创新巡察工作也稳步推进，发生在群众身边和扶贫领域的腐败问题也得到有效遏制。

党的十八届三中全会要求，"全面落实中央纪委向中央一级党和国家机关派驻纪检机构，实行统一名称、统一管理"。此次改革，采取综合派驻和单独派驻相结合，实现对中央一级党和国家机关139家单位派驻全覆盖。

中央纪委驻中国社科院纪检组副组长　高波：

派驻机构要向派出机关负责，重点就是要解决"既管得了又看得见"的这个难题，它是我们党内监督若干个探头。

巡视制度的改革成效，只是党的建设制度改革和纪律检查体制改革的一个缩影。派驻机构全覆盖，与巡视工作全覆盖一样，印证了制度治党、改革强党的加速度与落实度，迈出了全覆盖的历史性重要一步，也是全面深化改革的战略性举措和突破性进展，承担着为大规模深层次改革探路护航的重要使命。

十八大以来，在党的历史上具有重要意义的《中国共产党廉洁自律准则》、《中国共产党纪律处分条例》、《中国共产党问责条例》相继颁布施行，传递出全面从严治党"一扣接着一扣拧、一锤接着一锤敲"的强烈信号。

中央纪委办公厅副主任　刘硕：

党的十八大以来，纪检监察机关持续深化转职能、转方式、转作风，调整内设机构，清理参加的各类议事协调机构，把更多的力量聚焦到监督执纪问责的主业上。从查处的一些腐败案件来看，领导干部凡是违法的，往往都是先破了纪，因此必须坚持纪严于法。

2015年3月15日，十二届全国人大三次会议刚刚闭幕17分钟后，中央纪委发布消息：云南省委副书记仇和涉嫌严重违纪，正在接受组织调查。

仇和之所以落马，和他主政昆明期间在土地开发和城市建设中的共腐关系圈有很大关系。反映出的根本问题是他丧失理想信念宗旨，视党的纪律如无物。

云南省委原副书记　仇和：

从小到大，从一般的到贵重的，从接受礼品到接受贵重物品，由犯错误走向犯罪，滑向犯罪的深渊，潜移默化地就变化了,这是我个人咎由自取。

党的十八大以来,截至2016年底,中央纪委共立案审查中管干部240人,处分223人,移送司法机关105人。在强有力的震慑下,2016年有5.7万名党员干部主动交代违纪问题。

一个有生命力的执政党,必定是一个有纪律、讲规矩的党。

监督执纪"四种形态"的创新,就是纪严于法、纪在法前,要让"红红脸、出出汗"成为常态,党纪轻处分、组织调整的成为违纪处理的大多数,党纪重处分、重大职务调整的成为少数,严重违纪涉嫌违法立案审查的成为极少数。

中央党校教授　辛鸣:

我们就是要通过把纪律和规矩挺在前面,抓小抓早,通过我们发现党员干部开始有小毛病小问题的时候,我们及时提醒、及时纠正,这样就可以避免他去犯更大的错误。

中国共产党领导的这场打虎拍蝇的反腐浪潮,不但在960万平方公里的土地上淬火涤荡,而且把肃贪追逃的大网撒向全球。那些一贪就跑、一跑就了的美梦,破碎在了这份红色通缉令上。

在中央反腐败协调小组的统筹协调下,2016年11月16日,潜逃国外达13年之久的"百名红通人员"头号嫌犯杨秀珠从美国回国投案自首。

办案人员:

对涉嫌贪污犯罪的嫌疑人杨秀珠执行逮捕,请你在上面签名捺印。

截至目前,"百名红通人员"已有 40 多人到案。反腐败国际追逃追赃工作,成为全面从严治党和反腐败斗争的重要一环,同时也为国际反腐败事业贡献了中国智慧,提供了中国方案。

翻看一下近年来领导干部的落马信息,出事干部的问题,其实往往出现在被提拔前的原来的岗位上。

"带病提拔",成为诟病已久的顽症。

既然是顽症,就必须用猛药。"凡提必核",就是医治"带病提拔"顽症的一服良药。

随着《领导干部报告个人有关事项规定》和《领导干部个人有关事项报告查核结果处理办法》的相继出台,对五类漏报的行为和十类隐瞒不报行为,作出了更为明确细致的规定。加强抽查核实,对不如实报告或者存在其他问题的予以严肃处理。

中央党校教授　戴焰军：

因为原来你光说不抽查不核实的话,制度有时候就会变成一个稻草人,制度的这种威力就体现不出来。通过这种抽查核实,就把它落到实处了。

在全面深化改革、自上而下稳步推进党的建设的同时,构建党统一领导下的国家反腐败工作机构,实现对所有行使公权力的人员监督全覆盖,也被提上议事日程。

这是具有中国特色的创新制度之举。

按照党中央关于深化国家监察体制改革的部署,2016 年底,十二届全国人大常委会第二十五次会议表决通过《关于在北京市、山西省、浙江省开展国家监察体制改革试点工作的决定》。

2017年年初，北京、山西、浙江作为试点率先设立省级监察委员会。目前三个试点地区已完成省、市、县三级监察委员会组建、机关内设机构调整和人员转隶工作。

监察委员会履行监督、调查、处置职责，行使必要的权限手段，确保人民赋予的权力真正用来为人民谋利益。

台州市监察委员会选举现场：

按照台州市第五届人民代表大会第一次会议选举办法的规定，胡海良同志当选为台州市监察委员会主任。

随着全面从严治党不断推进，中央对反腐败斗争形势也不断作出最新判断。从十八届中央纪委六次全会上提出的"反腐败斗争压倒性态势正在形成"，到七次全会上提出的"压倒性态势已经形成"，一词之变，折射出全面从严治党的重大进展，也体现出党的建设制度改革和党的纪律检查体制改革所带来的成效。

习近平总书记：

经过四年多努力，党内法规制度体系更加健全，党风政风明显改善，不敢腐的目标初步实现，不能腐的制度日益完善，不想腐的堤坝正在构筑。管党治党从宽松软到严紧硬，需要经历一个砥砺淬炼的过程。要严字当头，实字托底，步步深入，善作善成。

党的建设制度改革新政频出：从完善市县乡党委书记抓党建述职评议考核机制，到加强国有企业、社会组织、民办学校的党建；从实施县以下机关公务员职务与职级并行制度，到深化公务员分类改革；从健全事业单位领导人员管理制度体系、完善人事管理制度，到建立集聚人才体制机制，党的建设制度改革形成组织制度、干部人事制度、基层组织建设制度、人才发展体制机制等方面齐头并进、同向发力、同时发力的良好态势。

党的十八大以来，党的思想建设、组织建设、作风建设、反腐倡廉建设和制度建设一体推进，整体提升。

这几年，罗阳、黄大年、廖俊波等一个个优秀共产党员的名字被全国人民所熟悉。信念坚定、为民服务、勤政务实、敢于担当、清正廉洁，这就是新时期一个优秀党员干部的标准。

江西省上饶县群众　郑鑫：

全面从严治党的改革措施，确实在基层、在地方见到了实效，我们能够真真切切地感受到身边的这些变化。

山东省微山县群众　盛春鹏：

现在身边的党员干部都能俯下身子，干劲十足。我们觉得有干头、有盼头，咱们的党和国家真是更有希望了。

2016年10月27日，党的十八届六中全会在京闭幕。这次会议系统总结了近年来特别是党的十八大以来全面从严治党的理论和实践，就新形势下加强党的建设作出新的重大部署，充分体现了党中央坚定不移推进全面从严治党的坚强决心和历史担当，体现了全党的共同心声。

全面从严治党，是这次全会的鲜明主题。

党的十八届六中全会明确习近平总书记的核心地位，正式提出"以习近平同志为核心的党中央",这对维护党中央权威、维护党的团结和集中统一领导,对全党全军全国各族人民更好凝聚力量抓住机遇、战胜挑战,对保证我们党和国家兴旺发达、长治久安,都具有十分重大而深远的意义。

六中全会制定《关于新形势下党内政治生活的若干准则》,修订《中国共产党党内监督条例》,是坚持思想建党和制度治党相结合的重大安排。

共产主义远大理想和中国特色社会主义共同理想是中国共产党人的精神支柱和政治灵魂,也是保持党的团结统一的思想基础。

实践反复证明,中国共产党是全面深化改革的领导者,同时也是在这场伟大深化改革中的自我革新者。

治乱存亡,其始若秋毫,察其秋毫则大物不过矣。

无数的历史经验告诉我们,要想实现"两个一百年"奋斗目标,作为执政的中国共产党,必须要坚定不移推进全面从严治党。

如此,党对改革的领导才是坚强有力的,人民群众对党的领导才是信服的,这场伟大变革才真正富有生命力和不辱历史使命。

第十集

人民的获得感

第十集《人民的获得感》完整视频

2014年的新年钟声即将敲响时，中国国家主席习近平首次发表了新年贺词。

　　此时的中国，刚刚对全面深化改革作出总体部署。一幅促进13亿人全面发展、走向共同富裕的宏伟蓝图正在徐徐展开。

　　习近平主席：

　　我们将在改革的道路上迈出新的步伐。我们推进改革的根本目的，是要让国家变得更加富强、让社会变得更加公平正义、让人民生活得更加美好。

　　从诞生之日起，中国共产党就把"人民"二字镌刻在自己的旗帜上，90多年栉风沐雨，持之以恒，坚定地践行。

　　当中国踏入新的改革时间，习近平总书记带领中国共产党人不忘初心，继续前进。

　　习近平总书记：

　　人民对美好生活的向往，就是我们的奋斗目标！

　　2013年，深秋的北京。

中央电视台《新闻联播》：

实现发展成果更多更公平惠及全体人民，必须加快社会事业改革，解决好人民最关心最直接最现实的利益问题。

这是一场努力实现人民对美好生活向往的大变革。

13亿人，既期待更好地生存，又期待更好地发展。

中央党校教授　辛鸣：

通过改革夯实人民群众的生存权。在这个基础之上，通过改革拓展人民群众的发展权，让人民群众可以通过自身的努力，在社会发展的大背景下有一个更好的发展的空间和发展的可能。

在全国14个连片特困地区之一的大凉山腹地，有一座"悬崖村"。村里通向外界的必经之路是17条藤梯，其中连接村庄的两条藤梯几乎是垂直上下。

家在山上，学校在山下。孩子们的求学路，就是这条令人心惊肉跳的悬崖路。

习近平总书记：

去年媒体报道了凉山州的"悬崖村"。看到村民和孩子们常年在悬崖上爬藤条，上山下山安全得不到保证，看了以后心情还是很沉重的，也很揪心。

让习近平总书记揪心的不仅是"悬崖村"。

他多次强调"小康不小康，关键看老乡"，"没有农村的小康，特别是没有贫困地区的小康，就没有全面建成小康社会"。如何补齐全面建成小康社会这块最大的短板，让所有贫困人口不愁吃、不愁穿，义务教育、基本医疗、住房安全得到保障，这是改革必须直面的严峻现实。

2015年10月16日，一场以"携手消除贫困、实现共同发展"为主题的国际高层论坛在北京举行。

习近平主席：

消除贫困，自古以来就是人类梦寐以求的理想，是各国人民追求幸福生活的基本权利。

70%——这是联合国《2015年千年发展目标报告》中一个引人骄傲的数字：中国对全球减贫的贡献率超过70%。

7000万人——这是一个令人牵挂的数字：截至2014年，中国仍有7000万贫困人口。他们都是贫中之贫，困中之困。

此时作出的减贫承诺，一诺千金。

习近平主席：

未来五年，我们将使中国现有标准下7000多万贫困人口全部脱贫。

这比联合国确定的全球消除绝对贫困的目标，整整提前了10年。

这是一场人类历史上前所未有的脱贫攻坚战。

2013年11月，在湖南湘西十八洞村考察时，习近平总书记首次提出了精准扶贫。

习近平总书记：

我们在抓扶贫的时候，切忌喊大口号，也不要定那些好高骛远的目标。扶贫攻坚就是要实事求是，因地制宜，分类指导，精准扶贫。

之后，习近平总书记多次形象地解释了何为精准——要由"大水漫灌"变为"精准滴灌"，不能拿手榴弹炸跳蚤，要下一番"绣花"功夫。

国务院扶贫开发领导小组办公室主任　刘永富：

很难说"一把钥匙开一千把锁"。现在就是像中医看病一样的，找到病根，对症下药，分类施策，因村因户因人来施策。

精准扶贫成为新阶段扶贫改革最鲜明、最重要的特征，是带有方向性意义的重大改革。

建档立卡，这项首创的中国式方法，是精准扶贫的工作起点。档案里每家每户的贫困原因写得清清楚楚。

明白账在手，7000万人脱贫的路径实施图也清晰地描绘出来——

到2020年，通过产业扶持，解决3000万人脱贫；通过转移就业，解决1000万人脱贫；通过易地搬迁，解决1000万人脱贫；还有2000多万完全或部分丧失劳动能力的贫困人口，全部纳入低保覆盖范围，实现社保政策兜底。

全面建成小康社会进入决胜阶段，习近平总书记向全党发出了脱贫攻坚战的冲锋号。他明确指出，"脱贫攻坚必须坚持问题导向，以改革为动力，以构建科学的体制机制为突破口，充分调动各方面积极因素，用心、用情、用力开展工作"。

在国务院扶贫办，存放着一叠看起来很普通的文件。

这是22个省区市党政一把手向中央签署的《脱贫攻坚责任书》。如此立下"脱贫军令状"，开新中国成立以来之先河。

为保证"军令状"不放空炮，脱贫目标第一次纳入五年规划的约束性指标。

为严防数字脱贫、弄虚作假，中央建立了最严格的考核评估制度，省际之间进行交叉考核，并委托第三方机构开展独立评估。

国务院扶贫开发领导小组办公室主任　刘永富：

这一系列的举措，就是我们党和政府，要"言必信，行必果"，说到做到，不放"空炮"。

石漠化，大地上的疮疤。在全国14个连片特困地区中，滇桂黔石漠化片区贫困人口最多。一方水土难养一方人，仅贵州省惠水县就有17475人将进行易地扶贫搬迁。

贵州惠水县明田新民社区党支部书记　罗应和：

不管我们是来自苗族也好，布依族也好，汉族也好，我们都是一家人。

当过兵的罗应和是安置点新民社区的支部书记。

贵州惠水县明田新民社区党支部书记　罗应和：

我们家总共五口人，只有九分多一点的地，在石缝之间种一点玉米，这个粮食不够吃。

2015年，当地政府开始在村里登记摸底，同时组织搬迁点的选址、规划、设计、施工。

2016年，罗应和与来自58个山寨的4684个村民一起，搬进了家具齐全的新家。

贵州惠水县明田新民社区党支部书记　罗应和：

我就感觉到，党的决策，肯定想办法把我们这些最穷的人，想方设法把我们搬出来。幸福来得太突然了！

为完成易地扶贫搬迁，国家将统筹安排6000亿元。2016年，全国已经有249万人搬进了新家园。

2016年11月，"悬崖村"的藤梯换成了安全的铁梯。这个小村庄将和全国许多贫困村一起，实施旅游产业开发，守在家门口脱贫致富。

扶贫必扶智。习近平总书记语重心长地强调，要让贫困地区的每个孩子都能接受公平、有质量的教育，这是阻断贫困代际传递的重要途径。

瞄准贫困地区义务教育薄弱学校的基本办学条件，新中国成立以来中央对义务教育投入最大的工程开始启动。2014年组织编制规划，深入推进义务教育均衡发展；2015年开展专项督导；2016年实现时间过半，任务完成过半。

孩子们需要好老师。2015年，中央深改领导小组审议通过了新中国历史上第一个乡村教师队伍支持计划，300万乡村教师因此生活得更体面、更有尊严。

产业扶贫、教育扶贫、健康扶贫、生态扶贫，一系列改革措施构建起了政府、社会、市场协同推进的大扶贫格局，跨地区、跨部门、跨单位、全社会共同参与的多元主体的社会扶贫体系正在逐步形成。

愚公移山，久久为功。

习近平总书记向世界作出庄严承诺两年后，7000多万贫困人口中已经有2700万摆脱贫困，向着更好的生活奋力奔跑。

距离2014年春节还有五天的时候，习近平总书记冒着零下30多度的严寒，来到兴安盟林区困难职工郭永财家中。

习近平总书记：

对祖国作出贡献的我们林业工人，党和国家都不会忘记。

民生领域的改革始终坚持"社会政策托底"，牢牢守住民生底线。

目前，1800万城镇低保人口的基本生活保障制度正在完善；900多万城镇登记失业人员的免费职业技能培训正在开展。

习近平总书记：

不断把"蛋糕"做大，把不断做大的"蛋糕"分好，让人民群众有更多的获得感。调整收入分配格局，完善以税收、社会保障、转移支付等为主要手段的再分配调节机制，维护社会公平正义。

党的十八大以来，中央先后出台了《关于深化收入分配制度改革的若干意见》、《关于激发重点群体活力带动城乡居民增收的实施意见》、《关于实行以增加知识价值为导向分配政策的若干意见》等重要文件，开展了县以下公务员职务与职级并行制度、居住证制度、城乡住户收支调查一体化制度等专项改革。

2013年以来，城乡居民收入年平均增长7.4%，实现与GDP增长基本同步；收入差距逐步缩小，基尼系数从2013年的0.473下降到2016年的0.465。发展成果在更多更公平地惠及全体人民。

进不去的城市，回不了的乡村。

在亿万农业转移人口的身上，既体现着中国社会变革的活力，也体现着变革进程中亟待解决的难题。

2014年6月，中央深改领导小组审议通过了构建新型户籍制度的纲领性文件，户籍制度改革全面提速。新型城镇化建设有了更深刻的内涵——不是让农民简单地进城，而是要真正共享城市公共服务。

中国城市和小城镇改革发展中心首席经济学家　李铁：

户改实际上是十八大以来，我们推进新型城镇化中最重要的一次改革。它涉及到大概2.8亿的在城市打工的农民工。要解决他们的公共服务问题，使他们能把根扎在城市，又能解决城市的各种消费需求，来带动城市的发展。这是一个非常大的改革。

一个薄薄的户口本背后，是厚厚的利益。要让农民工和其他打工者进入城市，享受城市公共服务，必然会有不同的声音。

公安部副部长　黄明：

户籍制度改革，如果说是公安在户籍上做改革，那是很方便的事情，但是由于户口背后负载着太多的利益，关系到众多的领域，它就需要配套改革。这是总书记、党中央在亲自抓的，如果仅仅是靠公安部门是推不动的。

改革首先填平了城里人与农村人之间的身份鸿沟，又分别统一了城乡居民养老保险制度、城乡居民医疗保险制度，让社保制度的公平性显著增强。

改革实行了人、地、钱挂钩的配套政策，健全财政转移支付同农业转移人口市民化挂钩机制，建立城镇建设用地增加规模同吸纳农业转移人口落户数量挂钩机制，调动城市政府吸纳农业转移人口落户的积极性。

在特大城市尤其是超大城市，由于资源环境承载力所限，仍然要严格控制人口规模，但同时，开辟了一条公开透明的落户通道，建立起积分落户制度。

2013年，广州试行积分入户政策，对申请人年龄、学历、居住证、缴纳社保等多项指标打分，在总排名中谁的积分高，谁就优先入户。已经在广州"漂"了多年的韩秋兰试着提出了申请。

广州番禺区社区卫生服务中心护士　韩秋兰：

很荣幸一下子就给我过了。有了户口之后，我孩子的问题解决了，然后我也有了更好的工作。

重大改革，也需要细微切口。

户籍制度改革的小切口就不少。

公安部副部长　黄明：

解决无户口人员的登记户口问题，开始有一些政策上的障碍。总书记的态度非常明确，不管是什么时候、什么原因造成的，都要全面解决这个历史遗留的问题，让每一个公民都能依法登记户口。他还关心异地办理身份证的问题，要求我们让信息多跑路，让群众少跑腿。

目前，全国已异地办理身份证668万个；1395万多无户口人员已经登记了户口，到今年年底，这一历史遗留问题将基本解决。

发展是人类社会永恒的主题，寄托着生存和希望。

解决了基本的生存问题，人民渴望得到全面的发展，对美好生活也有了更高的追求，要活出高质量，活出精气神。党的十八届五中全会把共享作为新发展理念之一，把增进人民福祉、促进人的全面发展，作为改革发展的出发点和落脚点。

知易行难。

惟其艰难，才更显勇毅；惟其笃行，才弥足珍贵。

人口问题是影响中华民族永续发展的基础性、全局性和战略性问题。党的十八届三中全会和五中全会两次对计划生育政策作出调整，作出了促进人口均衡发展的重大战略决策。

2016年是全面二孩政策落地的第一年，全国有1846万宝宝出生，比"十二五"期间的年平均出生数增长了近200万。

教育，百姓高度关切，热点难点频出：学前教育的"入园难、入园贵"，义务教育的"择校热"，中小学课外负担过重、中高考加分项目过多等等。

利益盘根错节，矛盾积蓄已久，改革迫在眉睫。

教育部部长　陈宝生：

十八大以来的教育改革，覆盖了教育的全过程。每一个学段都有需要解决的突出问题，都有亮点纷呈的改革措施。我们把公平和质量作为教育改革的两大主题。公平，主要是在义务教育阶段作为一个突破口来抓；质量，也是覆盖整个教育领域的。

党的十八大以来，以改革推公平、以改革提质量成为共识。改革贯穿了基础教育、职业教育、高等教育、继续教育各个领域，着力建立起现代教育体系。

改革把学前教育纳入公共教育体系。中央财政投入1032亿元，全国"入园难"正在逐步得到缓解。

在义务教育阶段，"择校热"的关注度最高。尤其是北京的择校问题，是教育界公认的"硬骨头"。

一场大刀阔斧的深化教育综合改革由此展开。

北京市教委主任　刘宇辉：

推进学区联盟、集团化办学、名校办分校等等，就是通过名校、优质学校来扩大它的影响范围，带动薄弱教育的发展。

2014年，优质资源校北师大实验中学组建教育集团，除自身作为核心校外，成员校有二龙路中学等五所不同阶段、不同特质的学校。

这不是一个简单的物理组合，而要让北师大实验中学的教育理念、教学方法尽快渗入到成员校，提高总体教学质量。

北师大实验中学校长　蔡晓东：

思想融合、工作融合、情感融合，老师天天需要一块备课，一块研究学生，一块研究我们课堂上出现了什么问题。

北师大实验二龙路中学学生家长　桑春茂：

我们孩子去年考到了二龙路中学，与实验中学的学生在一起上课，让孩子在各个方面都有提高，让我们家长在择校这方面确实不像原来那么痛苦了。

到 2016 年，全国义务教育基本实现了免试就近入学、划片规范入学、阳光监督入学。"择校热"正在逐步得到缓解，全国义务教育招生入学改革取得阶段性成果。

2014 年 8 月，中央深化改革领导小组审议通过了《关于深化考试招生制度改革的实施意见》。这是自恢复高考以来，最系统、最全面的一次考试招生制度改革。

改革提升了中西部特别是农村地区学生上重点大学的机会。2016 年共录取农村和贫困地区学生 9.1 万人，比 2015 年增长 21.3%。取消和规范高考加分、自主招生、分类考试、异地高考等一系列热点领域的改革初见成效。

党的十八大以来，实施学生资助和中职免学费政策，全国 92% 的中职学生都免除了学费，近 40% 中职学生、25% 高职学生享受到国家助学金。

现代职业教育体系加快建立，全国 1.25 万所职业学校每年为各行各业输送近 1000 万技术技能人才。

改变"大而不强"，推进内涵发展，《关于深化高等学校创新创业教育改革的实施意见》、《关于加强和改进新形势下高校思想政治工作的意见》、《统筹推进世界一流大学和一流学科建设总体方案》等等，我国高等教育领域的一系列改革措施相继出台。

党的十八大以来，从小学到中学、职业学校、大学，全国太多校园里留下过习近平总书记的足迹。教育改革正在努力让13亿人民享有更好更公平的教育，获得发展自身、奉献社会、造福人民的能力。

就业是民生之本。

就业领域最重要的改革就是创新宏观调控的方式，把就业政策和宏观经济政策紧密地结合，实现良性互动，特别是把就业目标任务的完成作为经济社会发展的优先目标。

人力资源和社会保障部部长　尹蔚民：

今年在城镇新增就业多少人，失业率要控制在一个什么水平上，这样中国就业才能实现比较充分，就业局势才能比较稳定，GDP高一点低一点都不是问题。问题是什么，是要满足充分就业的需要。这是一个非常大的转变，过去我们从来没有把就业提到这么高的位置上来看。

中国经济发展进入新常态，产业结构调整升级，给就业形势带来深刻影响。

在推进供给侧结构性改革过程中，仅钢铁、煤炭行业去产能，一年就有上百万的职工需要安置。

人力资源和社会保障部部长　尹蔚民：

对这项工作中央高度重视，总书记确实有明确的指示，明确了职工安置工作的基本原则、主要的渠道和一些政策措施。从去年的情况来看，应该讲还是平稳、有序的。

对高校毕业生就业创业提供多方面的政策支持与服务，积极构建覆盖全体劳动者、贯穿劳动者工作生活全过程的职业技能培训体系。

随着改革的深入，一条实现更加充分、更高质量就业的新路径，逐渐明朗起来。

2013年到2016年，我国累计城镇新增就业人数5258万人，连续四年保持在每年1300万人以上。就业大局的稳定为保障中国经济行稳致远、社会和谐安定发挥了重要作用。

中国人讲究"安居乐业"，居不安则心不定。

在解决老百姓住房问题上，处理好政府与市场的关系，至关重要。以政府为主满足基本保障，以市场为主满足多层次需求的住房供应体系逐步建立。

新一轮医药卫生体制改革从2009年起步，到2013年建立起了世界上覆盖人口最多的基本医疗保障网。这张网越织越密，今年已经覆盖了13亿人。2015年，城乡居民大病保险制度全面实施，提高了重特大疾病保障水平。

在建立基本医疗保障的同时，几块最难啃的"硬骨头"考验着改革者的魄力和智慧——公立医院以药补医、大检查、大处方的现象仍然存在，医疗资源"倒三角"分布格局尚未打破，优质医疗资源主要集中在城市和大医院。

国家卫生和计划生育委员会主任　李斌：

医改是世界性的难题，没有一个固定的模式可以照搬。总书记九次主持深化改革领导小组会议，来审议关于医改的一些重大文件。我们制定出台了大体是56件重要的政策性文件，既涉及立柱架梁的任务，也是接地气的，涉及老百姓的切身利益。

改革剑锋首先直指医改的硬骨头之一——公立医院改革。

从2013年起，福建三明市围绕医药、医保和医疗，三医联动，推进综合改革。改革要把药费降下来，让群众得实惠；把诊疗费提上去，让医生的利益不受损失；让医保支付更科学、更可持续。

福建省三明市居民　吴嫦娥：

过去的话，一个月药费就要大几百块钱，我们退休工人都没多少钱嘛，吃不起。现在真的是很轻松的。

福建省三明市第一人民医院副主任医师　陈晓帆：

年收入现在是12万多一些，比过去翻了一番还多一些。

2016年8月，中央深改领导小组决定向全国推广包括三明在内的8个方面24条典型经验，推动医改向纵深发展。

北京拥有全国最丰富的医疗资源，也有着最复杂的利益纠葛。2017年4月8日，北京市的公立医院改革翻开了标志性的一页——所有公立医院取消药品加成；调整医疗价格，设立医事服务费；实行药品的阳光采购。

北京的改革对促进引领全国公立医院综合改革向纵深推进，发挥着重要示范作用。2017年9月，公立医院改革将在全国全面推开。

2014年12月，习近平总书记来到江苏镇江世业卫生院，调研村民看病问题。

习近平总书记：

如果公共服务均等化不解决，北京的那些大医院，永远是像战时医院的状态。所有的人他最后，或者他的病在其它的地方，他觉得没有希望，他都要到北京去一下。这个状况还是要改变的。

改变这一状况的改革举措就是建立分级诊疗制度，让优质的医疗资源纵向流动起来，服务于基层患者。

青海就成立了医疗集团，省城西宁的专家由此参与到了一个县医院的手术中。

青海省西宁市卫计委主任　桑淑娥：

一个手术，如果在市级医院做，可能大概要在一万三到一万四，但是在县级医院7000块钱就得到了救治。一个血透病人平均下来，一年就要省医疗费用和成本费近两万到三万块钱。

群众表达诉求，改革及时作出回应。这是全面深化改革的独特气质。

2016年春节刚过，国家卫计委和国务院医改办收到了中央深改领导小组一个"命题作文"。

当时，"儿童看病难"成为媒体高频词。"看病似打仗、挂号如春运、输液像是流水线"，儿科医生和儿童家长都苦不堪言。

国务院医改办专职副主任　梁万年：

中央抓住了这一个老百姓所关心的热点问题，也是老百姓的痛点问题，要求抓紧研究出台关于改革完善儿童医疗服务改革和发展的相关政策措施，就是老百姓有所呼，改革就有所应。

仅仅两个月后，中央深改领导小组就审议通过了《关于加强儿童医疗卫生服务改革与发展的意见》。

没有全民健康，就没有全面小康。

2015年，党的十八届五中全会提出推进健康中国建设。2016年，《"健康中国2030"规划纲要》发布。

2016年8月，新中国成立以来第二次高规格的全国卫生工作会议召开时，人们敏锐地发现，会议更名为"卫生与健康大会"。

一词之差，意义重大。

北京大学中国健康发展研究中心主任　李玲：

健康中国其实是要从全生命周期、全方位地维护人民的健康。不仅仅是没有病，它是精神的、身体的和社会福利的一个完美状态。让老百姓有更干净的水、更好的空气、更安全的食品以及更好的生活环境。

民以食为天，食以安为先。

在十八届中央政治局第二十三次集体学习中，习近平总书记指出，"要切实加强食品药品安全监管，用最严谨的标准、最严格的监管、最严厉的处罚、最严肃的问责，加快建立科学完善的食品药品安全治理体系，严把从农田到餐桌、从实验室到医院的每一道防线"。

2015年10月1日，新《食品安全法》实施，最严格的监管制度保障着"舌尖上的安全"。

一个国家对待健康的态度，体现着这个国家的发展水平。

一个国家对待老人的态度，体现着这个国家的文明程度。

2013年8月，习近平总书记在沈阳与社区老人座谈，他说，"要全社会一起努力把老年人照顾好"。

2016年10月11日，中央深改领导小组决定降低准入门槛，引导社会资本进入养老服务业，推动公办养老机构改革，提升居家社区和农村养老服务水平。

养老服务市场的大门被彻底打开。

孙阿娥老人已经95岁了。她所在的上海静安区在居民小区里设立了"长者照护之家"、"为老服务中心"，这些机构由政府兴建、公司运营，社区60岁以上的老人都可以享受到24小时托养、日间照护、临时寄养、居家照护服务。

上海居民　孙阿娥：

晚上吃完了一起睡觉，开开心心。早上起来吃早饭，老开心了。

孙阿娥老人的女儿　钱明娟：

她把这里当成自己的家了。

马求恩老人已经年过70，家里还有95岁的老母亲常年卧床。政府出钱，为他家每月购买了50个小时的养老照护服务。

上海居民　马求恩：

给老人洗脸、吃药、洗头、洗衣服，还要给她敷药。他们是专业服务的，对老人照顾得很好。

目前，机关事业单位养老保险制度改革、基本养老保险基金投资运营等，一项项关系到亿万老年人福祉的改革，都在坚定而审慎地推行。

平安是福。

2014年1月7日，习近平总书记在中央政法工作会议上指出，"平安是老百姓解决温饱后的第一需求，是极重要的民生，也是最基本的发展环境"。

2015年10月，中央深改领导小组审议通过了《关于完善矛盾纠纷多元化解机制的意见》。各地积极创新社会矛盾排查化解机制，进一步拓宽人大代表、政协委员、律师等第三方参与社会矛盾化解的制度化渠道；构建有机衔接、相互协调的多元化纠纷解决体系。

2016年1月，中央深改领导小组审议通过了《健全落实社会治安综合治理领导责任制规定》，强调严格落实"属地管理"和"谁主管谁负责"的原则，形成了职责明确、务实管用的责任体系。

促一方发展、保一方平安，这已成为各级党委和政府的政治责任。人民群众的安全感和满意度，已成为衡量干部政绩的重要标准。

上个世纪末，习近平还在福建工作的时候，就在《摆脱贫困》一书中，写下了这句话——治政之要在于安民，安民之道在于察其疾苦。

党的十八大以来，以习近平同志为核心的党中央，始终强调并践行"人民立场"这一中国共产党的根本政治立场，坚持以人民为中心的发展思想，把增进人民福祉、促进人的全面发展作为发展的出发点和落脚点。

党的十八大以来，全面深化改革架起了民生领域改革的四梁八柱，这也是支撑起每一个中国人美好生活的四梁八柱。一个个普通中国人、中国家庭的生活变化，共同绘就了国家文明进步的画卷。

党的十八大以来，中国经济的结构之变深刻、生动，创造了更多就业，增加了更多更稳定的收入；党的领导、人民当家作主和依法治国更加有机地统一在一起，人民群众参与中国社会民主政治的热情得到有序释放；人民群众享受到了更多的文艺精品、文化基本公共服务，传统文化与时代精神，感染着、凝聚着亿万人；让人民群众在每一个司法案件中感受到公平正义，正逐步成为现实；绿色理念正转化为绿色机制，老百姓从生态文明建设中普遍增加了获得感。

党的十八大以来，全面深化改革真刀真枪、大刀阔斧，突破了一些过去认为不可能突破的关口，解决了一些多年来想解决一直没有很好解决的问题。全面深化改革的大格局、大脉络日益清晰，经济体制、政治体制、文化体制、社会体制、生态文明体制和党的建设制度改革全面发力，各领域标志性、支柱性改革基本推出，重要领域和关键环节改革取得突破，为国家富强、民族振兴、人民幸福打下了更加坚实的基础。

全面深化改革既不断取得重大突破，不断夯基垒台、积厚成势，又始终面对新的挑战，始终面对更艰巨的任务，始终行进在伟大征程上，永无止境，永不停步。

改革永远在路上！

习近平总书记：

"路漫漫其修远兮，吾将上下而求索。"全党同志一定要不忘初心、继续前进，永远保持谦虚、谨慎、不骄、不躁的作风，永远保持艰苦奋斗的作风，勇于变革、勇于创新，永不僵化、永不停滞，继续在这场历史性考试中经受考验，努力向历史、向人民交出新的更加优异的答卷！

但愿苍生俱饱暖，不辞辛苦出山林。

在党的十九大即将胜利召开之际，回望党的十八大以来波澜壮阔的伟大改革历程，我们更加充满道路自信、理论自信、制度自信和文化自信。

我们坚信，在以习近平同志为核心的党中央领导下，我们一定能够经受住许多具有新的历史特点的伟大斗争的考验，一定能够实现"两个一百年"奋斗目标，一定能够实现中华民族伟大复兴的中国梦！

本片由中共中央宣传部、中央全面深化改革领导小组办公室组织指导，中央电视台制作。

本书视频索引

第一集《时代之问》完整视频 001

第二集《引领经济发展新常态》完整视频 023

第三集《人民民主新境界》完整视频 047

第四集《维护社会公平正义》完整视频 069

第五集《延续中华文脉》完整视频 091

第六集《守住绿水青山》完整视频 111

第七集《强军之路》（上）完整视频 135

第八集《强军之路》（下）完整视频 153

第九集《党的自我革新》完整视频 171

第十集《人民的获得感》完整视频 195